R. Droit entretient ce fantasme joui
de la puissance sans limite de
l'organe masculin.
Qu'a-t-il à dire sur la diminution
du désir + capacité sexuelle en
vieillissant ?

Les gens ne comprennent pas ma
relation avec Jean ... Je ne suis
pas dans le besoin

Révolution sexuelle / Libération du sexe
Libération de la femme (Gloria
Steinem)

→ Hugh Hefner
Cosmopolitain (Brown)
2 combats qui se sont mélangés
en cours de route...

PROPOS SUR
la différence

Roger Drolet

avec la collaboration de Lyne Lemieux

Il met l'accent sur la femme, porteuse d'amour, parce qu'il veut saisir à partir ! (Guy A "en bas, une fille")

PROPOS SUR
la différence

Les deux dimensions

Vécues dans l'extrême

Yin ou YAN

Alors que chaque homme et femme sont un composé de ces deux à divers niveaux.

UN MONDE DIFFÉRENT

Catalogage avant publication de Bibliothèque et Archives nationales du Québec et
Bibliothèque et Archives Canada

Drolet, Roger, 1935-

Propos sur la différence : les deux dimensions

Comprend des réf. bibliogr.

ISBN 978-2-89225-670-3

1. Différences entre sexes (Psychologie). 2. Sexualité (Psychologie). 3. Hommes - Sexualité.
4. Femmes - Sexualité. I. Lemieux, Lyne, 1964- . II. Titre.

BF692.2.D76 2008   155.3'3   C2008-941871-9

Adresse municipale :
Les éditions Un monde différent
3905, rue Isabelle, Brossard, bureau 101
(Québec), Canada
J4Y 2R2
Tél. : 450 656-2660 ou 800 443-2582
Téléc. : 450 659-9328
Site Internet : http://www.unmondedifferent.com
Courriel : info@umd.ca

Adresse postale :
Les éditions Un monde différent
C.P. 51546
Succ. Galeries Taschereau
Greenfield Park (Québec)
J4V 3N8

Dépôts légaux : 3e trimestre 2008
Bibliothèque nationale du Québec
Bibliothèque nationale du Canada
Bibliothèque nationale de France

Conception graphique de la couverture :
OLIVIER LASSER

Photocomposition et mise en pages :
ANDRÉA JOSEPH [pagexpress@videotron.ca]

Typographie : Minion Pro 12,6 sur 15,8 pts

ISBN 978-2-89225-670-3

*Nous reconnaissons l'aide financière du gouvernement du Canada par l'entremise du Programme
d'aide au développement de l'industrie de l'édition pour nos activités d'édition (PADIÉ).*

*Gouvernement du Québec – Programme de crédit d'impôt pour l'édition de livres – Gestion
SODEC.*

Gouvernement du Québec – Programme d'aide à l'édition de la SODEC.

Imprimé au Canada

Table des matières

2. ALÉAS DE LA VIE DE COUPLE

3. OBSTACLES À L'HARMONISATION

Introduction

Depuis des siècles, les relations hommes-femmes font l'objet de toutes sortes de théories et d'opinions, mais le sens profond des choses n'y est jamais décrit.

Dans la vie, il y a certains éléments que l'on ne peut quantifier, ni raisonner de façon logique. Par contre, on peut y arriver par une intuition et une observation raffinée des comportements humains. L'observation de l'homme et de la femme fait partie de ce champ.

Cet ouvrage apporte une vision des rapports hommes-femmes complètement différente de celle proposée dans les magazines et trop souvent répandue dans certaines émissions télévisées.

Ce livre aidera certainement à changer l'éternel discours qui tend à faire dire aux femmes qu'elles sont aussi sexuelles que les hommes.

Propos sur la différence présente les hommes et les femmes comme deux dimensions totalement opposées. On voit au-delà des apparences et c'est absolument différent de tout ce qui a déjà été écrit. Nous vivons dans un monde de loisirs et de passions où tout est en place pour rendre confus ou institutionnaliser la confusion. Ce qui fait qu'aujourd'hui, les relations hommes-femmes sont de plus en plus basées sur de malheureux malentendus.

Régulièrement après m'avoir reconnu en public, des hommes m'accostent pour me demander où sont les vraies femmes ? Les femmes me posent la même question... mais en sens inverse.

Chacun ignore ou ne reconnaît pas la dimension de l'autre. Hommes et femmes ne se comprennent plus. Les couples se font et se défont constamment. Ils souffrent sans savoir pourquoi. C'est effrayant de voir toute la misère que les couples se donnent pour être si malheureux en amour.

Les lecteurs sont donc invités ici à faire une réflexion tout au long des différentes thématiques qui présentent, avec humour et quelques satires, les relations modernes.

C'est un ouvrage concis qui a du mordant. Beaucoup de gens s'y reconnaîtront ou y reconnaîtront quelqu'un. Non seulement parce que les comportements de chacun des sexes y sont décrits, mais parce que l'on y décode les vraies affaires qui font les propos de la différence. On y démasque tout autant l'attitude mensongère des hommes que celle des femmes. Le but de l'exercice est d'aider les couples à développer un meilleur discernement, ce qui par la suite les incitera à apporter des correctifs à leur attitude.

Ce livre révèle la complexité du comportement humain et restaure la complémentarité des sexes par la compréhension des dimensions respectives.

Vive la différence !

Avertissement

Ce livre fera bondir autant les hommes que les femmes qui se disent modernes. Il ne s'adresse pas aux individus incapables de s'élever au-dessus d'un esprit vulgaire et grossier.

L'ensemble de la population a perdu toute logique en ce qui concerne les deux dimensions. C'est l'anarchie la plus totale. Il faut savoir dès le départ qu'un homme et une femme, c'est différent. Leur dimension respective est totalement opposée.

- Le sexe est essentiellement une affaire de gars. *Non René*
- L'amour est essentiellement une affaire de filles. *(En grosser)*

idée Ghyslain

J'ai constaté qu'une trépidation s'empare de tout sujet au moment de dire les vraies choses. Dès que les passions sont en péril, l'inconfort s'installe, les mensonges fusent et toutes les balivernes sur le sujet sont proférées afin de camoufler la gravité de l'ignorance. Pour y voir clair, je vous demande d'être honnête envers vous-même tout au long de votre lecture.

Nous vivons dans un temps d'illusions et d'artifices. Tout est basé sur le mensonge. Une réflexion s'impose!

La femme, à mon avis, a totalement perdu le contrôle de sa propre dimension. Tant qu'elle acceptera de vivre dans un monde exclusivement sexuel, tant qu'elle sera la complice des passions de l'homme, elle sera en sursis amoureux.

Nous vivons à l'époque d'une dimension masculine à son apogée, où fourmillent les bénévoles sexuelles. Les femmes donnent du sexe, sans rien exiger en retour. C'est quasiment un paradis terrestre pour hommes. Ils sont bien servis. La femme donne, l'homme prend. *Ghyslain*

Non, cela a toujours existé

Comprendre et appliquer la théorie des deux dimensions permet de remettre de l'ordre dans sa tête et dans sa vie.

Il y a pourtant des têtes dures. Des gens qui sont incapables de comprendre les deux dimensions. Des hommes surtout qui ne veulent pas entendre la vérité, de peur de perdre leurs fantasmes. Ceux-là tiennent absolument à ce que le «party» se poursuive.

Certaines femmes également ont peur de perdre l'unique source du peu de tendresse recueilli au moyen du sexe.

L'incompréhension des deux dimensions découle principalement de l'étendue des contradictions véhiculées, entre le mensonge et la réalité.

C'est le moment de remettre les pendules à l'heure!

1. DEUX SEXES, DEUX PERCEPTIONS

1
Les deux dimensions

Je me suis toujours intéressé à la nature humaine. Je suis curieux de tout et j'ai constamment le nez dans un bouquin.

Il y a un peu plus de 25 ans, après avoir lu les rapports d'Alfred Kingsey[1] et de William H. Masters et Virginia E. Johnson[2], j'ai constaté que quelque chose clochait. Les écrits sur la sexualité ne concordaient pas avec la réalité. Ce qui se passait autour de moi était différent. Je voyais deux dimensions alors qu'une seule était abordée dans ces ouvrages.

---

1. Publié en 1948 par le professeur Alfred Kingsey, de l'Université d'Indiana, mais fortement sujet à caution, il aurait déclenché la « révolution sexuelle » ; les études portaient sur le comportement sexuel des Américains.
2. Le premier rapport du couple formé par le Dr William H. Masters et Virginia E. Johnson s'intitule *Les réactions sexuelles* (Paris, Robert Laffont, 1967, 384 p.) et le second, *Les mésententes sexuelles et leur traitement* (Paris, Robert Laffont, 1971, 412 p.).

Même le dernier rapport de Shere Hite[3] la passe sous silence ou presque. La dimension féminine y est négligée. Et lorsqu'on en parle, le sujet est à peine effleuré. La dimension masculine occupe toute la place.

En fait, les rapports se concentrent sur la jouissance et le plaisir sexuel. Ils démontrent qu'une femme peut avoir les mêmes désirs et la même possibilité d'orgasme que l'homme. Nous le savons. Nous ne sommes pas cons! Nous savons qu'une femme est capable d'atteindre l'orgasme. Tout comme l'homme, elle a du nerf, un petit nerf me direz-vous, mais un nerf quand même.

Pour comprendre les deux dimensions, il faut sortir des laboratoires et cesser de scruter à la loupe les petites culottes pour entreprendre plutôt de décoder dans le laboratoire de la vie la différence dans les comportements.

J'y suis allé, mais pas seul. Mes amis, qui sont entre autres des scientifiques du milieu médical, des propriétaires de boîtes de nuit, des avocats et des juges, m'ont accompagné dans mes réflexions. Ce livre est le fruit d'innombrables témoignages féminins et masculins. Nous avons mené une enquête plus serrée du côté des femmes qui se disaient très sexuelles, et leur franchise vous étonnera!

Partons du fait que les hommes et les femmes sont diamétralement opposés. L'homme est génital, la femme est amour.

---

3. Publié en 1976 aux États-Unis, ce rapport remet toutefois en question plusieurs idées reçues. La vaste étude par questionnaires et témoignages menée par la féministe Shere Hite auprès de 3 000 femmes met à nu la sexualité féminine.

Je dis depuis plus de 25 ans que « tout part du sexe chez l'homme pour arriver au cœur, et que tout part du cœur chez la femme pour arriver au sexe ». En dehors de l'amour, quand une femme a une relation sexuelle avec un homme, ses besoins viennent de commencer ; pour l'homme qui a une relation sexuelle avec une femme, ses besoins viennent de prendre fin si l'amour est absent.

Si les femmes étaient vraiment comme les hommes, l'économie serait par terre. On baiserait partout. La mafia et les gangs de rue s'en mêleraient, car les prostituées chômeraient. On n'aurait plus besoin de sortir au restaurant ni d'avoir de beaux vêtements ni d'écouter des chansons d'amour. Toute l'économie est basée sur la séduction et le sexe.

Pourquoi pensez-vous que les clubs de danseuses nues existent ? C'est parce qu'il est impossible, pour le gars, de demander à sa belle collègue ou à sa magnifique patronne de bureau, d'enlever ses culottes ou son string et de se trémousser juste parce qu'il en a la pulsion.

Le gars a une idée fixe. Son aspiration absolue consiste à croire que la femme est sexuelle comme lui et que la fille qu'il regarde passer dans la rue est aussi « cochonne » que lui, sinon davantage.

Maintenant, pourquoi pensez-vous que les films et les romans d'amour existent ?

Simplement parce qu'il est impossible pour une fille de demander, même à son copain, de la projeter dans l'extase sentimentale.

La fille a une idée fixe, celle de croire que les hommes sont aussi sensibles qu'elle à la simple phrase «je t'aime». Un gars a des pulsions sexuelles tandis qu'une fille a des pulsions amoureuses.

Le sexe pour une fille, c'est presque écœurant (dans le vrai sens du terme) si pratiqué en dehors de l'amour. Un gars est prêt à payer pour du sexe, mais pas une fille. Il serait aberrant de persister à croire le contraire alors que la vérité est si flagrante. *c'est pas besoin bar ouvert !*

On trouve dans presque toutes les villes du monde des bordels, des boîtes de danseuses nues, des cabarets pour voyeurs et des prostituées.

Chez les acteurs pornographiques, qui sont les mieux payés et pourquoi? Les filles sont les mieux rémunérées parce qu'elles ne participent pas avec agrément. Régulièrement, des actrices de films pornos révèlent leur dégoût et leur fatigue du sexe. Les danseuses nues font de même en avouant qu'elles se moquent des clients. Les danseuses et les prostituées vivent constamment dans la crainte et le dégoût. Elles souhaitent faire suffisamment d'argent pour arriver à changer leur mode de vie.

À qui profite le marché du sexe? Aux *boys*! Qui paie pour du sexe? Les *boys*! Une fille ne déboursera pas cinq cents pour du sexe. À Montréal, il existe une seule adresse de «*go-go boys*» ou danseurs nus pour dames. Avez-vous bien lu? Une seule adresse! Pourquoi? Simplement parce qu'il s'agit d'un faux besoin.

Les femmes n'ont pas, comme les hommes, le désir de voir du nu ou de la nudité. Lorsqu'elles fréquentent ce lieu, c'est pour se retrouver entre filles, pour célébrer un événement tout en s'amusant à imiter les gars. Elles sont en majorité de piètres imitatrices. Les femmes rient, crient et ferment les yeux, tandis que les gars roulent des yeux, bavent et veulent toucher les corps nus. Dans ces endroits, les filles paient pour avoir du plaisir et les gars paient pour leur plaisir. Voilà la nuance.

Il est prouvé que rien n'excite plus l'œil d'un homme qu'un corps de femme nue, tandis que rien n'excite davantage l'œil d'une femme qu'un… petit bébé. Placez une femme nue devant un ordinateur dans un bureau occupé par autant d'hommes que de femmes. Tous les hommes sans exception cesseront de travailler et auront le regard rivé sur elle. Ils finiront certainement par l'encercler, plusieurs iront même jusqu'à la toucher, l'écume à la bouche. Même en caricaturant un peu, le souvenir de cet événement les rendra heureux toute l'année durant. Ils en bavarderont agréablement et longuement, souvent.

Les femmes réagissent autrement. Supposons qu'un homme nu se retrouverait assis à un de leurs bureaux. Devant une telle situation, elles pourraient rire un bon coup, mais exigeraient que la plaisanterie cesse rapidement.

Maintenant, imaginez qu'on place un joli poupon dans ce même bureau. Toutes les femmes se déplaceront pour admirer ce petit bébé en souriant et en complimentant la mère. Plusieurs se pousseront du coude pour prendre cette merveille dans leurs bras. On regardera le bébé, on discutera des bébés, on parlera comme un bébé. Les hommes s'attendriront tout au plus deux secondes et proposeront de se remettre rapidement au travail, en espérant que bébé sera absent demain.

Avez-vous déjà vu des photos de bébés affichées dans un garage ou dans un coffre à outils?

Les gars n'aiment pas entendre dire que les filles ne sont pas sexuelles. Elles sont capables de l'être, mais pas de la même façon que les hommes. C'est différent. Le sexe est constamment présent chez le gars. Celui-ci est toujours prêt, contrairement à la fille qui a besoin de motivation pour passer à l'acte.

Les filles deviennent sexuellement épanouies uniquement lorsqu'elles sont amoureuses. Le sexe pour le sexe ne leur convient pas. Une sexualité satisfaisante pour la femme est obligatoirement associée à l'amour, alors que l'homme les dissocie. Les femmes ont besoin de vivre une sexualité fusionnelle tandis que les hommes peuvent s'en passer.

Si vous recherchez un bon professeur d'amour, écoutez parler une fille. Si vous recherchez un bon professeur de sexe, écoutez parler un gars.

C'est pourtant cette différence entre les deux dimensions qui crée l'équilibre dans un couple. Les dynamiques sont différentes et complémentaires. Pour vivre agréablement, chacun doit faire l'effort d'amener l'autre dans sa dimension. Sans cette différence, la vie à deux serait banale et monotone.

2
Les vieux clichés et les arguments béton

Il advient régulièrement que plusieurs manquent d'arguments lorsqu'ils tentent de faire comprendre la différence des deux dimensions à leur entourage. Ils n'arrivent pas à avoir le dernier mot lorsque ceux-ci s'appuient et insistent sur des exemples vus ou entendus dans les médias et dans les salons.

N'oublions pas que le psittacisme (répétition mécanique [comme un perroquet] de mots, de phrases entendues, sans que le sujet les comprenne) est puissant. L'être humain en général est souvent en accord avec ses désaccords. Voilà pourquoi il est si difficile de conclure comme Blaise Pascal dans ses *Pensées*: «La raison n'a aucun pouvoir sur les passions.»

Voici les motifs les plus fréquemment invoqués pour discréditer les deux dimensions suivis par des arguments béton qui feront revenir à la raison.

«*Les filles sont sexuelles comme les gars…*»

Alors faisons un test. Tu vas demander à une belle fille ou à une fille ordinaire, voire moche, de se mettre nue à une fenêtre avec une pancarte qui mentionne : « Je veux du sexe. »

Ensuite, demande à un très beau gars de faire la même chose à la fenêtre voisine. Les résultats ne tarderont pas. Il y aura une file d'attente à la porte de la fille et personne ou presque chez le garçon.

Voici un autre exemple : Une belle fille peut vider en cinq minutes une boîte de nuit en disant à chacun des gars présents, dans le creux de l'oreille : « Je t'attends toute nue à la porte d'à côté. » Puis incitez le plus beau gars en ville à l'imiter auprès des femmes. Je suis persuadé qu'il ne pourra pas dire : « Je t'attends tout nu à la porte d'à côté » sans récolter quelques gifles. De plus, il sera sûrement expulsé de l'établissement.

« Ce n'est pas parce qu'on est au régime qu'on ne peut pas regarder le menu… »

C'est une phrase et un raisonnement de gars. C'est un argument franchement idiot. Un individu au régime peut-il se contenir devant un buffet ? Je parle de torture mentale ; c'est aussi se mentir à soi-même.

Quelqu'un au régime qui passe son temps dans les livres de recettes ou devant des vitrines remplies de pâtisseries appétissantes va finir par succomber. Le même principe s'applique aux hommes qui passent leur temps à s'érotiser le cœur ou les méninges en draguant toutes les belles filles qu'ils croisent.

I-1) : Visuleer avec Denise : ≠amour +alcool = impuissant

Si succomber à un plat peut être sans grande consé-
quence, tromper sa femme l'est! Je connais pourtant une
recette infaillible de fidélité pour l'homme, que je vous livre-
rai au prochain propos, et que j'appelle le « principe des trois
secondes ». Sans cette astuce, certains hommes auront bientôt
devant leur domicile une pancarte indiquant : « Maison à
vendre ». *Réponse du Kid : "Plains-toi pas..."* *À SOIR*

**« Les filles sont autant, sinon plus sexuelles que les
gars... »**

Si cette affirmation était vraie, il n'y aurait jamais eu de
prostituées.

Pourquoi les hommes paieraient-ils pour du sexe si les
femmes aimaient cela autant, sinon plus qu'eux? Seraient-ils
idiots? Les femmes aiment tellement le sexe qu'elles veulent
en plus se faire payer? Il faut être franchement débile pour
croire cela.

La majorité des femmes préfèrent laver des planchers au
salaire minimum, plutôt que de faire du sexe à 100 $ l'heure.

Faut-il qu'elles détestent cela pour faire un tel choix?
Les prostituées se font maintenant appeler les « travailleuses
du sexe ». Cela décrit très bien la chose, c'est un travail! Beaucoup d'entres elles avouent avoir la nausée et s'obligent à
penser à autre chose que le sexe, pendant qu'elles sont avec
un client. Elles avouent également avoir développé des tech-
niques pour faire éjaculer leurs clients plus rapidement. Ceci
pour s'en débarrasser! Est-ce suffisamment clair? On devrait
remettre une médaille de courage à toutes ces filles qui
gagnent leur salaire dans le dégoût. Croyez-vous encore que
les filles sont plus sexuelles que les gars?

«*Les filles aussi se masturbent, donc elles aiment le sexe...*»

Prenons l'exemple d'un gars qui se masturbe seul dans sa chambre, jusqu'à ce qu'une inconnue apparaisse toute nue, afin de prendre la chose en main. En temps ordinaire, que se passerait-il?

Le gars s'écrierait probablement: «Ah! un cadeau du ciel!»

Maintenant prenons l'exemple d'une fille qui se masturbe seule dans sa chambre; un inconnu lui apparaît tout nu, pour prendre les choses en main. D'ordinaire, que se passerait-il?

La fille s'écrierait assurément: «Au secours! Police!»

Voyez l'évidence des deux dimensions. Tous deux pratiquent exactement la même activité, pourtant l'un crie: «Alléluia!» et l'autre appelle la police. Le gars se masturbe parce qu'il n'a pas de fille dans son lit et la fille le fait parce qu'elle ne veut pas avoir un gars dans son lit. Constatez-vous la différence?

Voici d'autres circonstances, prédispositions ou préférences qui appuient la différence des sexes:

– Une femme apprécie beaucoup les préliminaires sexuels et en a souvent besoin (la plupart du temps des préliminaires amoureux dans son cas). Un homme les apprécie beaucoup moins et n'en a nullement besoin.

– À l'inverse des femmes qui aiment discuter après l'acte, les hommes préfèrent en majorité le silence et le repos. Après une relation sexuelle, les besoins d'une fille commencent et ceux du gars finissent.

24

– Les femmes rêvent de longévité et de stabilité amoureuse. Les hommes rêvent de court terme et de nouvelles expériences sexuelles. Si ce n'était pas dans la nature des femmes, rares seraient les hommes qui songeraient à former un couple.

– Les femmes veulent plaire aux hommes pour se faire aimer. Les hommes veulent plaire aux femmes pour en avoir au lit.

– Lors d'une relation sexuelle, le gars se demande si la fille a vraiment joui tandis que le questionnement de la fille a trait à la profondeur de sentiments du gars envers elle. Un gars qui oserait dire à une fille qu'il couche avec elle sans l'aimer créerait une commotion. Ce serait aussi insultant qu'une fille qui dirait à un gars qu'il ne la fait pas jouir.

– Cela fait beaucoup plus vibrer une fille si c'est le gars qui la demande en mariage. Celui-ci a une plus grande excitation si c'est la fille qui lui fait des avances sexuelles. La satisfaction est toujours plus grande chez la personne qui reçoit ce dont elle a besoin.

– Les harems sont composés de femmes parce que le sexe est une affaire de gars. La logique ne peut pas faire dire le contraire, sinon il y aurait aussi des harems composés d'hommes.

– Seules les femmes portent la *burqa* et les vêtements traditionnels du genre pour dissimuler leur corps de la tête aux pieds. Ce sont des hommes qui l'ont décidé parce qu'ils sont excités à la vue d'un corps féminin ou sont jaloux et possessifs, et non l'inverse. Une fille peut fondre devant un homme bien habillé, tandis qu'un gars tombe à la renverse devant une fille nue.

– La ceinture de chasteté, l'excision et toutes les horreurs du même acabit sont de graves erreurs de jugement masculin. Ce sont des hommes qui ont cru et croient mordicus que les femmes ont des pulsions sexuelles qui équivalent aux leurs. Ils transposent leur condition et en ressentent la pleine puissance en recourant à des solutions barbares. Ce sont les hommes qui auraient dû porter la ceinture de chasteté. Elle serait encore plutôt idéale pour eux si les femmes pouvaient en détenir les clefs et ne les en délivrer que de courts instants lorsqu'ils le méritent. Par contre, je craindrais que plusieurs d'entre elles soient portées à détruire la clef après avoir soudé la serrure.

La différence des hormones a une influence directe sur les réflexes et les comportements des sexes. C'est une évidence tellement flagrante que plus personne ne la remarque.

Si une différence est soulignée, elle est immédiatement interprétée comme une résultante du lieu de naissance, de la religion ou de l'éducation reçue. On ne doit pas, pour satisfaire à ses croyances et caprices, mêler la culture et la nature.

Lorsqu'une femme dit qu'elle aime le sexe, il faut la croire, sauf qu'il faut garder en tête qu'elle utilise le même vocabulaire que les hommes, sans toutefois vouloir dire la même chose. Une femme vit les choses différemment. Lorsqu'elle dit qu'elle aime le sexe, cela revient à affirmer : « J'aime les épices mais dans une sauce. » Elle ne mangera pas directement une cuillerée d'épices.

Rappelez-vous que le sexe pour une femme doit être intégré à l'amour comme les épices dans une sauce.

3
Le principe des trois secondes

C omme je vous en touchais un mot dans le propos précédent, voici une façon de mieux saisir les deux dimensions. Le principe des trois secondes s'adresse principalement aux hommes, mais on sent nettement les distinctions entre un homme et une femme en ce qui a trait à la sexualité. À preuve, un gars qui regarde plus de trois secondes une belle fille est en danger.

N'oubliez pas que le gars en a plein la vue. Dès qu'il met le pied à l'extérieur, sa tête tourne de gauche à droite sans arrêt. On a l'impression qu'il observe une partie de tennis. Il a la capacité de balayer la place rapidement, à la recherche de beautés féminines. Tout ce qu'il considère excitant lui accroche l'œil.

Observons le match. À sa gauche, une fille aux seins débordants accompagnée d'une copine aux fesses bien rondes ; à droite, une autre aux jambes interminables. Il lève les yeux et contemple les affiches publicitaires sexées.

Je vous le dis, les gars ne savent plus où regarder. La partie n'est pas encore terminée. Notre gars, les yeux en l'air, se heurte maintenant à la fille de ses rêves et s'excuse en souriant bêtement, pour ensuite marcher à reculons pour voir son fantasme s'éloigner. Et cela se poursuit tout au long de son parcours. Pauvre gars!

J'ai un conseil pour les hommes qui doivent ramasser leur journal à la porte. Baissez-vous la tête! Si vous la relevez, vous risquez de voir votre voisine en bikini et à quatre pattes dans une plate-bande.

D'où le danger des trois secondes révolues. Vous êtes sur votre perron, alors vous serez inévitablement tenté de vous attarder devant ce charmant spectacle bien plus de trois secondes. Vous chercherez ensuite à l'observer de nouveau par la fenêtre. Plus de trois secondes de distraction et vos fantasmes se dirigeront dorénavant non plus vers votre femme, mais vers votre voisine qui, à quatre pattes, entretient ses plates-bandes.

Il faut bien que ça débute quelque part, eh bien, ça commence là. Tout s'amorce dans ces trois secondes où l'œil du gars s'attarde. On connaît la suite: le gars attire l'attention de cette voisine, la fait rire un peu et lui rend quelques petits services. «*Il est charmant, ce voisin*», se dit-elle. Un jour, elle lui confie ses problèmes de couple, il en fait de même et ils finissent par partir ensemble. Deux autres maisons à vendre.

Le principe des trois secondes s'applique partout où le gars peut s'attarder. Que ce soit au bureau, dans une soirée ou à la maison. Cela peut aussi se passer dans un transport en commun utilisé régulièrement à la même heure.

Ne me croyez pas. Vérifiez par vous-même. Un homme est infidèle à sa femme parce qu'il est tombé dans le piège des trois secondes.

Vous pensez que le principe des trois secondes s'applique aussi aux femmes ? Non et non ! En fait, oui, mais pas pour la même raison. Encore une fois, c'est différent. Les trois secondes qu'une fille accorde à un gars vont dans un autre sens. Elle s'attardera à son style raffiné, à son parfum, à sa courtoisie ou à son sourire chaleureux.

Vous avez sûrement déjà entendu des filles complimenter des garçons sur leur physique, et pourtant jamais une fille ne laisserait tout tomber pour partir sur-le-champ dans une chambre d'hôtel avec un inconnu.

Une fille ne perdra jamais la tête uniquement pour une belle paire de fesses. Elle recherchera toujours l'amour en priorité. Le prince charmant ne sera jamais une notion désuète pour elle.

Encore une fois, l'homme a des fantasmes sexuels et la femme, des fantasmes amoureux.

Qu'on se le dise, l'homme qui craint sa propre infidélité n'a qu'à éviter de reluquer une demoiselle ou une dame plus de trois secondes ! Ce truc est infaillible. Contrôle, messieurs, contrôle !

4
L'hypersexualisation

Chez la fille, le désir d'un compagnon se fait le plus vivement sentir à l'adolescence. Une adolescente peut être très sensible à l'enseignement et au milieu qui compose son entourage.

L'hypersexualisation de la fille d'aujourd'hui provient de sa recherche avide visant à combler l'expansion de sa nature, en se mettant à l'unisson avec la masse dans un comportement sexuel que celle-ci encourage et approuve. Le jugement d'autrui (et parfois cela peut partir de bien haut) forme sa conscience morale et embrouille son identité.

La jeune fille qui suit le modèle proposé et qui entre dans l'hypersexualisation risque de se retrouver dans la plus amère des conditions, soit dans la solitude. Elle n'arrive plus à diriger son propre sort. Son altruisme n'a plus rien sur quoi s'appuyer et les chances qu'un garçon l'enveloppe de son amour disparaissent au profit de l'égoïsme sexuel de ce dernier. Nul besoin pour un garçon de répondre à une passion féminine une fois sa propre passion comblée. Les jeunes filles suppriment leur dimension amoureuse, réduisent leur propre élan au silence. Leur identification se noie dans le plaisir des garçons, ce qui altère complètement leur but premier, la recherche d'un compagnon.

Les avantages mutuels que peut procurer une relation normale sont perdus par l'hypersexualisation. Celle-ci se présente non comme une simple expérience d'un soir, mais comme un mode de vie. Les jeunes filles ne théorisent certainement pas sur la chose, elles ambitionnent simplement de satisfaire un profond et urgent besoin affectif. Elles se laissent conduire fatalement dans une voie erronée où elles se forment un idéal. En dehors de tout raisonnement, elles agiront sous un flux d'émotions inconscientes et involontaires, dans le but d'atteindre leur idéal.

Les filles ne se rendent pas compte qu'elles s'assujettissent aux hommes. Sans s'en apercevoir, elles appliquent des règles prescrites par les gars. Elles visionnent des films de gars, elles font le sexe à la manière des gars, elles ont un langage et un comportement masculins et finissent par penser comme les gars.

Substituer à l'amour l'hypersexualité amène un déséquilibre émotif et mental chez toute fille qui plonge dans cette tradition du moment.

Les jeunes filles et bientôt les femmes en général n'y trouveront que de la confusion, car l'hypersexualisation perturbe, mais ne modifie aucunement la dimension féminine. Elles devront trouver une solution adéquate à leur condition. Elles devront cesser de résister ou de faire abstraction de leur propre nature. C'est seulement les femmes qui, par la douceur de leur dimension, pourront soumettre une sexualité exagérée et dominatrice en équilibre dans l'amour. Il faut simplement mais rapidement prendre une direction différente.

Remarquez que dans l'hypersexualisation, j'accorde toute la place aux filles. Je vous l'ai déjà dit et je le répète, la sexualité est une affaire de gars. S'il était question de l'hypersentimentalité, j'accorderais sûrement la prépondérance aux gars, l'amour étant une affaire de filles. Vivre dans un monde ou régnerait une hypersentimentalité créerait un déséquilibre équivalent à celui que subissent les femmes, mais à l'inverse. Les hommes seraient pour ainsi dire obligés d'avoir en permanence un sac de glace dans leur pantalon pour calmer leurs ardeurs.

5
La folie de la jouissance

Il semble qu'il y ait des jouisseuses clitoridiennes, des vaginales et d'autres qui ont découvert le point G.

Nous entendons régulièrement cette question de la part de l'homme: «Es-tu vaginale ou clitoridienne?» Pourtant, entendons-nous la femme demander à un homme, au moment de passer à l'acte: «Es-tu phallique ou testiculaire?» Ou, au stade de la séduction, avec une curiosité fébrile s'enquérir: «Es-tu "membré" ou "pochu"?» Avouez que ce serait ridicule! Pour la femme, du moins.

Des femmes consultent en clinique parce qu'elles ont des difficultés avec la jouissance sexuelle. Elles lisent des magazines et sont aussi à l'écoute des émissions de télé sur le sujet. Tout devient complexe lorsqu'il s'agit de l'anatomie féminine. Les gars n'y comprennent plus rien.

Avez-vous déjà vu un homme aller chez son médecin ou chez un sexologue en demandant: «Pouvez-vous SVP me faire découvrir mon pénis?» Est-ce qu'un gars a besoin d'un magazine ou d'une émission télévisée pour connaître le mode de fonctionnement de son pénis et de ses testicules ? Ou bien pour savoir ce qu'est un gland ou un scrotum ?

Chez l'homme, le sexe est bien défini. En effet, l'homme ne se pose pas ce genre de questions. Son affaire fonctionne ! Bien sûr, il doit éviter les tranquillisants, ne pas consommer trop d'alcool sur une base régulière, se tenir loin de certaines drogues, et dans ces conditions, en général l'érection vient assez rapidement.

La mécanique de la femme est différente, et c'est d'une telle évidence ! Et que dire des hormones ! L'homme possède un millier de nanogrammes de testostérone dans le système, contre à peine 75 pour la femme ! Avec une telle différence de production glandulaire, ils ne peuvent pas avoir les mêmes désirs ni les mêmes comportements.

Il y a incompréhension et incompétence, même chez les sexologues, à propos de la jouissance de la femme. Je prétends pour ma part que la femme est uniquement clitoridienne. Le clitoris est l'équivalent du pénis, mais de la taille d'un petit pois. Le vagin sert uniquement pour le passage du bébé, l'évacuation des menstruations et… pour le plaisir du gars. J'imagine certains d'entre vous qui rient, mais c'est vrai. Et probant, en plus.

Un gars est très tôt fonctionnel sexuellement. Dès la puberté, il connaît l'éjaculation. Pour une fille, c'est totalement différent. La puberté, pour elle, correspond au début des menstruations. Voyez qu'au départ, les plaisirs ne sont pas les mêmes et les contraintes divergent.

Aujourd'hui, les jeunes filles sont propulsées directement dans le sexe, des images pornographiques président à leur programmation. Il faut savoir que toutes rêvent d'embrasser un garçon, de l'aimer et d'être aimées. Elles ne rêvent pas de se mettre la tête dans leur pantalon! Ayez constamment à l'esprit que le sexe est une affaire de gars et qu'en ce qui concerne la fille, c'est l'amour. Une jeune fille apprend à développer le goût du sexe, ce n'est pas inné chez elle: cela ne lui vient pas naturellement.

Attention, les gars! Ne faites pas une dépression tout de suite. N'ayez pas peur, car la magie dans la différence, c'est qu'en amour, une fille fonctionne assez bien sexuellement.

Certaines femmes confondent orgasme et spasme de plaisir. Cela fait fantasmer beaucoup d'hommes, car ils croient que les femmes qui ont plusieurs spasmes sont plus sexuelles que les autres. Pauvres heureux imbéciles! Ils pensent qu'une femme peut avoir 10 ou 15 orgasmes d'affilée. Non mais quelle blague! Quel mensonge!

Un homme ressent le besoin de se reposer après une seule éjaculation, imaginez l'état comateux dans lequel une femme sombrerait, si elle avait vraiment joui 10 ou 15 fois de suite. Pire, imaginez si, en plus, elle était une femme fontaine! C'est vraiment aberrant.

La folie de la jouissance porte les hommes à croire toutes sortes de bêtises sur l'extase féminine. Ils en arrivent à ne plus discerner si leur compagne jouit ou non. Remarquez que certaines femmes ne le savent pas elles-mêmes.

Une femme peut désirer avoir un orgasme et y arriver, mais elle peut aussi s'en passer.

6

L'harmonie sexuelle

Les chiens, les chats, les souris, les lapins, les singes, les boas et même les blattes, qu'on appelle communément des coquerelles, n'ont aucune difficulté avec la sexualité. Ils sont en parfaite harmonie avec leur système de reproduction. Ils n'ont pas besoin de professeurs, de sexologues ou de Viagra.

S'harmoniser sexuellement, c'est à peu près ce qu'il y a de plus facile sur cette planète. Une relation sexuelle, c'est ce qu'il y a de plus simple et de plus banal à accomplir sur la terre. On accorde beaucoup trop d'intérêt à la chose.

La différence entre les humains et certaines créatures (pas toutes!), c'est qu'il nous faut un décorum. Tout doit être enjolivé, quantifié et justifié. Pourtant les relations sexuelles sont les mêmes pour la grande majorité: une érection, une gymnastique, des sons langoureux, une grimace qui accompagne les quelques secondes de jouissance, et c'est terminé.

Il n'y a pas de problème dans la sexualité. C'est dans la fréquence, dans la fantaisie et dans les sentiments que cela se complique. L'harmonie sexuelle suit habituellement l'harmonie du couple. Il faut savoir se faire plaisir l'un l'autre.

La sexualité dans un couple est un octroi offert par la femme, qui peut devenir concessif si l'amour, le respect ou la compréhension de l'homme sont absents.

Être en harmonie ne veut pas dire être pareil ou vivre en parfaite symbiose avec l'autre, cela signifie s'accorder relativement aux vues et aux besoins de chacun. L'harmonie sexuelle s'installe au fil du temps dans les couples, de la même façon qu'un budget se gère. Il y aura des fluctuations, et des accommodements permettront de conserver l'équilibre.

Comment qualifier une relation sexuelle d'un soir? Les hommes optent d'emblée pour le mot « excellent », ils en sont toujours ravis la plupart du temps.

Voyez la différence chez les femmes. Elles peuvent qualifier une première relation sexuelle de réussie, satisfaisante ou complètement ratée. Elles ne parlent pas d'harmonie avec empressement. Ce mot sera employé ultérieurement, et seulement par la femme; le gars devra faire ses preuves, car c'est elle qui exige une harmonie sexuelle. L'homme, en général, se satisfait d'une relation sexuelle, point.

La femme au départ a besoin d'harmonie sur le plan affectif avant d'apprécier le plan sexuel. Une femme sécurisée affectivement suivra le rythme sexuel de l'homme. Mais attention! Ce ne sera pas sans effort.

Pour qu'une femme reste disponible, l'homme devra demeurer à la hauteur. Une femme, cela se prépare au quotidien. Pas cinq minutes avant l'acte! Sinon elle le fera par charité, pour s'en débarrasser, pas par goût.

Messieurs, si vous désirez une lune de miel ou une acrobate au lit, il faut vous y prendre à l'avance. Commencez au petit déjeuner, en lui embrassant le cou, sans plus. Ne me demandez pas ce qui se passe dans cette région, je ne le sais pas, mais ça fonctionne! Ah! à propos, quelqu'un peut-il m'expliquer ce qu'il y a dans cette zone? Une sorte de magie s'opère, lorsque le cou, le lobe et le derrière des oreilles des filles sont embrassés et mordillés, ce qui les fait presque ronronner. Quelqu'un peut-il m'éclairer?

Ceci est un appel aux lecteurs ainsi qu'aux scientifiques: laissez tomber le point G et trouvez ce qui se cache derrière les oreilles et le cou de ces dames! Il y a plusieurs «pitons de sensations» dans ces coins-là.

7
Le monde de la femme

Bien que l'on tente constamment de démontrer qu'une femme agit dans la vie personnelle et professionnelle comme un homme, c'est faux. En réalité, la capacité de réussite est la même pour chacun. Par contre, il est démontré que les femmes ont plus de facilité pour les études que les hommes. Preuve à l'appui, le pourcentage d'étudiants plus élevé du côté féminin que masculin l'atteste. Pourquoi ? C'est que les hommes sont trop étourdis et dérangés par leur testostérone.

Autrefois les écoles n'étaient pas mixtes, donc les garçons avaient plus l'esprit axé sur les études. Je n'invoque pas ici un retour en arrière, je ne fais que donner une certaine explication à leur nouvelle motivation. Aujourd'hui, partout où un étudiant pose son regard, il « s'accroche » à une image sexuelle. Il perd son temps et son énergie dans les loisirs.

En ce qui a trait aux filles, c'est plus sérieux. Chez les étudiants, on retrouve plus de filles concentrées sur leurs études que les garçons. Encore une fois, je ne dis pas que tous les garçons sont folichons, je dis que les filles sont plutôt portées vers la réussite parce qu'elles ont la capacité de combiner vie amoureuse et études. Un gars préfère faire la fête plus souvent, tandis qu'une fille dira : « Non, je dois étudier et me lever tôt. » Une fille consacre plus facilement son temps et son énergie à se concentrer sur ses devoirs. Les gars, eux, sont prêts à tout envoyer promener et à passer une nuit blanche pour une relation sexuelle.

Autrefois une femme éprouvait du plaisir et se sentait valorisée de participer à la vie intellectuelle et sociale par la bande et les coulisses du mariage. Dans l'éducation, parmi les savants comme les artistes, dans le milieu médical, chez les politiciens ainsi que dans toutes les autres professions, l'épouse appuyait et secondait son mari. On disait que derrière un grand homme se trouvait une grande dame. On ne disait pas cela pour rien, les femmes ont toujours été présentes et talentueuses.

L'arrière-grand-mère qui était l'épouse d'un médecin était fière de se faire appeler Mme Docteur. Mais voilà ! Aujourd'hui il n'y a plus de Mme Docteur. Les féministes ont changé cela et c'est tant mieux ! Car maintenant le médecin, de même que l'avocat ou l'homme d'État, divorcent ou ne veulent pas se marier. Les femmes se disent : « *Si je ne peux pas m'appeler Mme Docteur, je serai moi-même docteure.* »

L'homme a foutu l'économie et la famille par terre. Avec son vagabondage sexuel et sa vanité de « gros mâle », pour ne pas dire de « macho », il a cessé de prendre ses responsabilités. Un autre monde s'est créé. Au début c'était la joie, les deux travaillaient, ils faisaient plus d'argent et s'achetaient une plus grande maison. Les banlieues se sont développées, chacun avait sa voiture, son horaire et ses activités. Un surplus d'activités et de loisirs est néfaste à la vie de couple.

Trop de gens n'entrent chez eux que pour se coucher. On s'égare et on s'oublie à trop vivre à l'extérieur. Les gars finissent par perdre le contrôle et ne peuvent pas appliquer le principe des trois secondes. La majorité des divorces provient de là. C'est alors chacun son appartement, son réfrigérateur, son téléphone, ses factures d'électricité et de câble, les dépenses du resto, le transport, la garde partagée…

Les dépenses se sont multipliées ainsi que l'endettement. On croise quotidiennement des gens frustrés, névrosés et épuisés. Si j'étais le directeur du personnel d'une entreprise, je ne sélectionnerais que ceux qui ont une vie émotive stable, car ce sont les plus productifs et dynamiques.

Les problèmes actuels proviennent principalement du fait que le gars n'est plus à son affaire. Personne ne pourra jamais me convaincre du contraire. Plus personne n'est à la bonne place. Le gars n'est pas avec la bonne fille, de même que la fille n'est plus avec celui qu'elle avait choisi. Les enfants ne vivent plus avec leurs vrais parents, ils déménagent à tout moment, ils ont plusieurs demi-frères et demi-sœurs, etc. Les gens n'habitent jamais au bon endroit et sont criblés de dettes.

Pour moi, le modèle actuel est un fiasco total. C'est pourquoi je tiens à rendre un hommage à la femme moderne. En effet, c'est elle qui en souffre le plus. J'ai un respect pour la femme en général parce qu'elle est généreuse, intuitive, créative, sensible et sensée.

J'ai un respect pour l'homme d'autrefois qui était volontaire, productif, respectueux, courageux et responsable.

La femme d'aujourd'hui a tout un monde à porter. Elle est vaillante et doit se montrer combative à tout instant. L'homme devrait plutôt voir la femme comme un exemple plutôt que de la percevoir mystérieuse, comme il le faisait jadis ; alors qu'aujourd'hui il perçoit d'elle davantage les effets d'un syndrome prémenstruel incontrôlable.

8

La différence a un prix

Si vous pensez toujours que les femmes font du sexe juste pour le sexe, détrompez-vous! La différence est bien là et elle a un prix.

Monica Lewinsky[1] a tellement aimé le sexe avec Bill Clinton, alors président des États-Unis, qu'elle a voulu garder une preuve! J'écarte *a priori* la thèse du complot, sinon on n'en sort pas. Pourquoi aurait-elle senti le besoin de conserver une robe tachée de son sperme? Pourquoi garder une telle relique? Elle voulait avant tout avoir une garantie. Surtout, elle désirait davantage que du sexe avec son Bill.

Voyez-vous le mensonge? Elle se servait du sexe comme tremplin. Une fille ne couche pas seulement pour coucher.

---

1. Monica Lewinsky est une femme américaine qui défraya la chronique en 1998 quand, alors âgée de 25 ans, il fut rendu public qu'elle avait eu des relations sexuelles avec le président Bill Clinton lors d'un stage effectué à la Maison-Blanche. Cette affaire, connue sous le nom d'affaire Lewinsky ou de Monicagate (*gate* en référence au scandale du Watergate), connut une médiatisation exceptionnelle, tant aux États-Unis qu'à l'étranger.

Soit qu'elle veuille le gars, soit qu'elle désire autre chose. Monica n'a rien inventé. Pour obtenir une faveur, une femme doit présenter ses affinités sexuelles, tandis qu'un gars doit montrer son état amoureux.

Jean-Pierre Ferland, l'artiste retraité bien connu, a toujours dit ouvertement que, ne se trouvant pas beau, il avait décidé de faire carrière dans la chanson pour pouvoir « chanter la pomme » aux femmes.

Ce qu'il n'a pas dit ou compris, c'est que beau ou pas, un gars doit toujours conter fleurette à une fille pour l'avoir au lit.

Par contre, s'il s'agit d'un homme de prestige, le scénario peut changer. Le prestige est érotisant pour une femme. La crainte de perdre sa place au profit d'une autre peut installer une certaine urgence sexuelle chez elle. Il se peut qu'elle fasse les premiers pas ou saute carrément dessus pour pouvoir attirer l'homme dans ses filets.

Un homme qui n'aurait pas eu d'efforts à faire pour avoir une femme au lit ne s'en sort pas nécessairement. Par la suite, il devra tout de même lui chanter la sérénade pour la conserver près de lui. Les hommes auront toujours intérêt à se montrer amoureux pour obtenir du sexe. Sinon, ils devront payer, monnayer le sexe.

Là, c'est direct et chacun joue franc jeu: «Combien demandes-tu pour une pipe?» Le prix est fixé, la fille rend le service, le gars paie et les deux sont satisfaits. Je ne dis pas que c'est correct, je dis que ces deux personnes sont honnêtes dans leur différence. En dehors de l'amour, un gars doit mentir ou payer pour avoir une fille au lit.

9
L'homme est
de nature polygame

Voilà ce que disent plusieurs rapports de psychologues, sociologues et sexologues. Les nombreuses études sur le sujet tendent à prouver que les hommes sont essentiellement polygames et les femmes, essentiellement monogames.

Beaucoup d'hommes jubilent d'avoir obtenu cette confirmation. « *Pourquoi rester fidèle à une seule femme*, se disent-ils, *si notre nature est contraire à ce principe ?* »

Parce que la nature a ses règles et ses principes, mais personne ne parle de cela ! Personne ne fait d'études sur le sujet et surtout personne n'ose établir de règles. Peut-être est-ce la peur d'être pointé du doigt et de se faire traiter de rétrograde ?

La raison principale de ce silence provient surtout du sentiment satisfaisant que cela procure vis-à-vis du comportement anarchique d'un grand nombre d'hommes. Cela fait l'affaire et excuse tout.

Le fait de savoir que l'être humain a besoin de manger pour vivre excuse-t-il les personnes qui mangent tout le temps? «Nous avons la capacité de manger, alors mangeons, empiffrons-nous!» Il serait aussi ridicule de croire à l'impossibilité de se noyer parce que notre corps est constitué d'environ 60% d'eau.

D'accord, l'homme est polygame de nature, mais la femme n'en est pas moins monogame. Comment peut-on former un couple dans ces conditions? Bien sûr, il faut établir des règles. Pour vivre en harmonie dans la société, il faut des lois et des agents pour voir à leur application.

Pour qu'un couple fonctionne, il faut aussi établir des règles puisque les natures sont contraires. Dans un couple, l'homme se doit de rester fidèle. La femme, parce qu'elle est monogame de nature, joue naturellement le rôle de l'agente. Autrement dit, son conjoint sera sous une étroite et constante surveillance.

N'oubliez jamais que le couple, c'est l'affaire des femmes. Si vous désirez vivre en couple, il n'y a pas de place pour la polygamie. Une femme acceptera tous vos défauts et tous vos travers, mais elle aura toutes les difficultés à pardonner une infidélité.

La polygamie est peut-être naturelle chez l'homme, mais elle est tout à fait contraire à l'esprit d'un couple. Restez célibataires, les gars, si vous êtes incapables de maîtriser vos pulsions.

10
Les critères de sélection

Les hommes et les femmes ont des critères de sélection naturellement différents en ce qui a trait à l'autre sexe.

Si vous dites à un homme : « J'ai une femme à te présenter », il vous demandera immédiatement : « À quoi ressemble-t-elle ? » Sa première question portera sur l'apparence physique. C'est ce qui l'intéresse au premier plan.

Vérifiez par vous-même ! Dites d'abord à un gars que vous aimeriez lui présenter une fille. Énumérez ses qualités : « Elle est formidable. Elle détient plusieurs diplômes, n'a pas encore d'enfant ni de problèmes financiers… » Je vous garantis que vous ne pourrez pas en ajouter davantage. Vous serez sans cesse interrompu par cette question : « Est-ce qu'elle est belle ? »

Maintenant, dites à une femme : « J'ai un homme à te présenter. » Elle vous demandera aussitôt : « Quelle est sa profession ? »

51

Faites maintenant cet essai : après avoir annoncé à une fille que vous avez un gars à lui présenter et tout de suite après son interrogation, insistez sur sa beauté. « Je t'assure que c'est le plus beau gars en ville. Quel homme superbe et séduisant ! »

Vous serez interrompu rapidement. Elle vous interrogera à nouveau sur l'occupation professionnelle de celui-ci. « Oui, tant mieux, je comprends, mais que fait-il dans la vie ? »

Un gars se préoccupe d'abord de la physionomie. Le reste est optionnel et souvent sans importance. La beauté physique d'une femme est érotisante pour un homme.

Une fille se soucie en premier lieu de la profession. La beauté est optionnelle et souvent sans importance. Un homme qui occupe un poste élevé est érotisant pour la femme. Je vous en expliquerai la raison un peu plus loin.

Si vous êtes sceptique et pensez qu'il est faux de croire que les hommes se limitent au physique et les femmes au statut social comme premiers critères, présentez alors la chose d'une façon différente.

Dites à un gars que la fille que vous lui destinez n'est pas très jolie. Il vous répondra sans doute que c'est sans grande importance, mais il insistera pour que vous en poursuiviez la description.

Vous lui expliquez qu'elle est très intelligente, qu'elle cuisine bien, que le montant de son compte bancaire se résume à plusieurs chiffres... Le garçon émerveillé vous arrêtera et vous demandera : « Pas trop jolie, pas trop jolie comment ? » Admettez que cela le préoccupe.

Ajoutez alors qu'elle est un tantinet grassouillette, un peu chauve et a les dents croches. Vous constaterez que toutes les qualités du monde seront insuffisantes pour lui faire accepter une première rencontre avec une fille au physique disgracieux, même s'il a dit d'emblée que cela lui importait peu.

L'inverse s'applique aussi aux femmes, mais à un autre niveau. Proposez de présenter un homme à la demoiselle qui a prétendu que le statut social n'était pas si important. Vantez ses qualités de «baiseur», soulignez surtout qu'il peut jouir à toute heure du jour parce qu'il est sans emploi et qu'il a un énorme pénis, vous l'avez même entrevu.

Après avoir bien ri, elle vous dira: «Que veux-tu que je fasse d'un gars pareil?»

Le sexe chez la femme passe en second.

11
Ils l'avaient l'affaire !

Autrefois il n'y a pas si longtemps, il n'était pas nécessaire de comprendre les deux dimensions. On se mariait, point final ! Tout était en place pour que cela fonctionne bien. Les rôles de chacun étaient bien définis. Un long processus de séduction à suivre était alors établi.

Il fallait non seulement séduire la fille, mais aussi sa famille et plus particulièrement le père – s'il n'avait pas lui-même sélectionné l'éventuel mari de sa petite protégée.

Le patriarche étudiait d'abord, avec soin, les qualités et les défauts du garçon et l'interrogeait longuement sur ses ambitions. On le scrutait à la loupe. Les fréquentations étaient longues, empreintes de respect et de tendresse. On se courtisait au salon ou sur le perron sous les yeux de la famille. Les sorties avaient lieu en compagnie d'un chaperon, jusqu'à ce qu'une certaine intimité soit permise.

Mais quelle intimité ! Au départ les filles étaient intouchables. Impossible de mettre les mains dans leur petite culotte. Elles n'étaient pas programmées ni programmables.

Le gars avait beau insister et user d'astuces pour déshabiller ne serait-ce qu'à demi l'objet de ses désirs, il n'y parvenait pas. Non, c'était non. Une fois accepté et libre de sortir seul avec la fille de ses rêves, il ne s'attendait jamais à travailler si dur pour convaincre la fille de se laisser tripoter quelque peu. Il devait alors la fiancer.

Plusieurs mois plus tard, après de longues soirées à seulement s'embrasser et parfois à lui toucher la peau des cuisses, le gars s'en retournait seul chez lui, avec les babines enflées et un sérieux serrement de testicules. Comme un non était toujours un non, une date de mariage était fixée. Le gars heureux d'entendre la marche nuptiale arrivait enfin devant l'autel, le pénis au plafond !

12

La différence entre
ces deux époques

Continuons de décrire cette époque où tout était en place pour que les couples aillent bien. Nous en ferons une description très sommaire, mais nous y reviendrons pour y greffer différents exemples selon les besoins de la cause.

Les couples et les enfants se répartissaient toutes les tâches quotidiennes. À la ferme, au village ou à la ville, tous partageaient cette pensée : l'ambition d'avoir une belle vie familiale et spirituelle. L'homme obéissait à Dieu, la femme à son mari et les enfants à leurs parents.

N'ayez pas peur ! Je ne vous ferai pas retourner en arrière avec la religion ni avec les lampes à huile. Je ne vous enverrai pas non plus labourer les champs à l'aide de bœufs. On ne retournera pas à l'ère de Duplessis et de Charbonneau. Je vous encouragerai néanmoins à faire la juste part des choses.

On disait donc que des lois étaient préétablies. C'était la programmation de l'époque. Tout était régi, organisé, chacun avait son rôle et l'entraide battait son plein.

C'était simple, dix commandements et sept péchés capitaux. Comme ce l'est encore à sa manière dans des pays pauvres tels que la Tunisie (rurale et non touristique), où aujourd'hui évolue une société similaire au Québec des années cinquante, sous une autre idéologie servie dans un cadre religieux, qui englobe ces péchés et commandements dans un tout autre vocabulaire.

Aujourd'hui on a mis tout ça aux poubelles et tourné la notion de péché en dérision au Québec et partout ailleurs au Canada. J'exagère à peine, vous savez. On dit « c'est l'enfer » pour « je vis le paradis ! » En revanche, nous sommes envahis par des normes, des règlements, des conditions, des ententes, des conventions, des critères, et de nouvelles lois s'ajoutent continuellement parce que d'autres ne sont pas respectées.

Le système est toujours dépassé, les normes sans cesse révisées et les limites constamment repoussées. Les limites de la morale aussi.

Pourquoi ? Parce que les structures sont anarchiques. Parce que c'est maintenant chacun pour soi. Chacun sa loi, chacun ses affaires ! On le remarque sur les routes où le comportement de certains conducteurs se traduit par « tasse-toi, la route m'appartient », ou par l'exemple des gangs de rue ou encore des travailleurs qui découvrent un avis de cessation d'emploi sur la porte de leur entreprise. On leur annonce bêtement que la compagnie est fermée.

Il y a aussi les vols d'identité, les arnaques bancaires, une balle perdue qui nous frappe lorsqu'on promène le chien ou un individu tiré par erreur. Lorsqu'on en arrive au point où il n'y a plus de règles qui vaillent, on peut bien faire n'importe quoi.

Comment ne pas s'étonner qu'un tel vent violent d'anarchie nous mène à la névrose? C'est devenu une mode de dire que l'on a suivi une thérapie ou que l'on voit un psychologue.

Si vous rencontrez un ami dont vous êtes sans nouvelles depuis longtemps, plutôt qu'un banal «comment vas-tu?», demandez-lui tout bonnement: «comment s'est passé ton divorce?» ou «comment s'appelle ta nouvelle blonde?», «es-tu toujours en thérapie?», «quelle est ta nouvelle adresse?», «ton nouveau numéro de téléphone?», ou enfin «quel est ton nouveau titre (ou fonction)?» Évidemment, soyez perspicace dans votre choix de questions. L'ami en rira sûrement après coup.

Ne me croyez pas! Testez-le par vous-même et vous verrez: à quelques exceptions près, tous, hommes ou femmes, vous demanderont: «Comment as-tu su?»

Nous vivons actuellement dans un monde où tout est en place pour que ça aille mal. C'est un monde de divertissements, où tout arrive rapidement. Les gens vivent à un rythme de jazz et se surprennent ensuite de tomber en épuisement professionnel (communément appelé *burnout* dans mon Québec natal).

Je suis pour l'évolution et pour la nouvelle technologie. Il y a cependant des choses qui ne doivent pas changer.

L'évolution c'est l'amélioration d'une chose, c'est changer pour du mieux.

Les grandes perdantes de ce nouveau système sont les femmes. Elles se sont fait avoir avec le féminisme. Malgré leurs quelques nouveaux droits, elles souffrent sans même savoir pourquoi. Elles sont persuadées que leurs arrière-grands-mères n'étaient pas heureuses. Pourtant j'ai l'intime conviction que si arrière-grand-maman revenait sur terre aujourd'hui, elle retournerait sous terre le même jour tellement elle aurait peur. Elle se croirait sûrement à l'asile ou en « enfer ».

Voici une situation de vie : autrefois, arrière-grand-maman croisait une jeune fille dans un parc. La jeune fille était assise bien droite sur un banc avec les mains jointes sur les genoux. Elle portait de beaux vêtements propres et repassés, utilisait un vocabulaire raffiné, avait un timbre de voix chaleureux et posé, ainsi qu'une belle gestuelle.

Aujourd'hui cette même arrière-grand-mère pourrait croiser une jeune fille dans un parc et la voir ainsi décrite en tout ou en partie : assise toute croche ou se contorsionnant sur son *chum*, échevelée, tatouée, percée, avec des vêtements indécents ou fripés voire déchirés, en train de blasphémer, cracher, rire comme une névrosée, enfin chantant ou criant pour rien. Avouez que parfois ça fait peur !

Voici un autre scénario plausible, de comparaison en fonction de stéréotypes d'époque que j'exprime à ma façon particulière. Autrefois, une femme commençait sa journée en faisant bouillir un os pour la soupe du dîner tout en s'occupant du déjeuner de sa nombreuse famille. Des tâches étaient attribuées à chacun des enfants à l'exception des plus jeunes. Le ménage et la lessive étaient faits sans rechigner, les poules étaient nourries et les œufs ramassés avant les classes. Le mari travaillait avec ardeur aux champs ou était déjà parti s'il travaillait pour un tiers. Il revenait le soir s'occuper de l'entretien général et, à la tombée du jour, tous s'endormaient heureux du devoir accompli sous le même toit.

Les grandes misères de l'époque étaient la maladie, les deuils ou une mauvaise récolte. Aujourd'hui, pour être moderne, cette même femme pourrait entreprendre sa journée stressée par le temps à déjouer ou rattraper. Elle pourrait être l'autorité monoparentale et avoir un, deux ou trois enfants de pères différents. Elle doit donc préparer les lunchs pour l'école, mais n'en aura pas besoin pour elle-même, car un nouveau collègue l'invite à déjeuner.

Madame doit donc se faire plus belle que d'ordinaire. Pendant que les enfants mangent leurs céréales, une mise en plis s'impose ainsi qu'un maquillage plus élaboré, une retouche de vernis à ongles, il faut trouver le vêtement parfait et terminer avec un parfum capiteux. Cette dame de l'époque serait certainement quelque peu déboussolée, car la dernière fois qu'elle a été obligée de soigner son apparence, c'était le jour de son mariage.

Maintenant qu'elle est prête, elle devra quitter la maison en laissant la salle de bain et la chambre en désordre. Elle hurlera probablement après les enfants pour qu'ils se dépêchent de ramasser leurs sacs d'écoliers. Elle leur demandera plusieurs fois de fermer le téléviseur, les jeux vidéo ou la musique, avant de les conduire à la garderie et à l'école.

Une fois en voiture, il faut arrêter pour le plein d'essence, faire un détour à cause des routes en réparation. Il faut, outre jouer le rôle de préfet de discipline (expression qui n'a plus cours), organiser les horaires pour le retour. En effet, les enfants ont une fête d'amis après leurs activités sportives. Il faudra aussi prévoir les achats après le travail, le repas à préparer, les leçons de la marmaille, les factures à acquitter, la lessive qui s'impose, le ménage – sans oublier d'appliquer la crème antirides.

Enfin, la mère en question arrive à trouver un stationnement pour la voiture, court en escarpins dans le hall de l'édifice jusqu'à l'ascenseur. Elle arrive à son bureau et surprend le nouveau collègue avec qui elle devait déjeuner en train de clavarder avec une autre fille.

Pensez-vous sincèrement que la femme de l'époque ultra-catholique ayant précédé la révolution tranquille envie ce mode de vie?

13
Un célibat incomparable

Autrefois, comme nous l'avons déjà expliqué, presque tout le monde se mariait. C'était dans l'ordre des choses. Les personnes qui y faisaient exception écoutaient l'appel d'une vocation ou demeuraient chez leurs parents et se dévouaient pour les autres, puisqu'elles avaient plus de temps disponible.

Rares étaient ceux qui habitaient seuls. On les pointait du doigt ou prenait en pitié. On disait des hommes vivant seuls : « Pauvre vieux garçon ! Il n'a personne pour s'occuper de lui. » Et d'une femme vivant seule, on murmurait : « Pauvre vieille fille ! Elle n'a pas su trouver l'amour et ne connaîtra pas les joies de la maternité. »

Être célibataire était exceptionnel. Maintenant c'est tout le contraire. L'exception est de rester marié à la même personne, plus de 25 ans.

Les couples d'aujourd'hui vivent dans la peur constante de se séparer. Nous les entendons dire : « Nous avons passé le cap des trois ans. Voyons si nous survivrons au cap des sept ans. » D'autres de dire : « Nous avons dépassé les sept ans, il paraît que ce sont les années les plus difficiles, mais si nous parvenons à en faire quinze, il n'y aura plus d'inquiétude. »

Il en arrive toujours un autre qui rétorque, l'air moqueur : « Moi, j'en connais qui ont divorcé après 35 ans de mariage. »

Que s'est-il passé ? Procédons à un examen de conscience. Pourquoi les couples d'autrefois étaient-ils si solides ?

Avant de répondre, je tiens à préciser qu'il y a trois arguments que je ne peux plus entendre. Premièrement : « C'était la religion, qui obligeait les femmes à faire des enfants. »

Même une femme qui avouerait avoir eu trop d'enfants, vous giflerait si vous lui demandiez lequel d'entre eux elle aimerait voir disparaître.

Il faut se souvenir que lorsque le curé du village recommandait à la femme de faire des enfants, il disait aussi au mari : « Toi, occupe-toi de ta famille ! »

Aujourd'hui, avec la pilule anticonceptionnelle et autres formes de préservatifs considérés comme fiables, les femmes n'ont plus ces soucis en tête. Par contre, il faudra se soucier des conséquences de l'avortement et du néant qui habite les nombreuses femmes qui y ont participé.

Deuxième constat qui m'irrite : « Les femmes étaient malheureuses et enduraient leur état. » Certes, il y avait des femmes insatisfaites ou malheureuses. Qui n'a jamais eu à se plaindre ? Autre époque, autres mœurs. Jamais dicton n'a pu être plus précis. Pourtant, il faut encore expliquer.

Il y a toute une différence entre les tolérances d'autrefois et l'intolérance d'aujourd'hui. Autrefois, un vol était considéré comme spectaculaire, vu sa rareté. Aujourd'hui, il est banalisé, sauf si vous en êtes la victime. Autrefois on parlait d'un meurtre pendant 10 ou 15 ans. Encore une fois, parce que c'était rarissime et d'une violence inacceptable. Le nom du meurtrier restait gravé dans la tête des gens très longtemps. Aujourd'hui, on a peine à se souvenir du nom du meurtrier qui a passé au journal télévisé de la veille. Pourtant les histoires sont de plus en plus sordides.

Donc, les femmes malheureuses d'autrefois n'ont rien à voir avec les malheurs des femmes d'aujourd'hui. Comparez : il existe actuellement une multitude de femmes violentées, violées, abusées monétairement, délaissées et affectées par toutes sortes d'infections transmissibles sexuellement (IST). Nous pouvons ajouter à cette liste les hommes qui décident, sur un coup de tête, de décimer leur famille. On ne voyait pas ces choses auparavant !

Troisième jugement que je ne peux plus entendre : « Les hommes étaient des ivrognes, ils buvaient toute leur paye. » En effet, certains hommes buvaient. Par contre, la majorité de ces grands travailleurs donnaient leur salaire à leur épouse. Les femmes géraient le budget. Elles sont depuis toujours de bonnes administratrices. Les bas de laine, les dessous de matelas ou le pot placé tout près de la farine appartenaient à la tendre moitié.

Oubliez Séraphin avec ses sacs dans le grenier! Grignon en a fait un plus grognon que nature, parce qu'il manquait de sous et qu'il savourait presque une revanche sur les riches et les grippe-sous de la terre. (Voir à ce sujet Yergeau, Robert. *Dictionnaire-album du mécénat d'État*, article «Grignon, Claude-Henri», Ottawa, Le Nordir, 2008, 205 p.).

Souvent, à cette époque, un mari saoul représentait, pour l'épouse, une nuit paisible et une grossesse retardée. Aujourd'hui, des hommes sont non seulement aux prises avec l'alcool, mais aussi sous l'empire des drogues, la tête dérangée ou enflée.

Fermons la parenthèse sur la femme dite malheureuse d'autrefois et ouvrez-en une. Demandez-vous pourquoi il n'est jamais question des responsabilités et des malheurs des hommes d'autrefois. Sachez qu'à cette époque, le partage et la compassion n'étaient pas des mots prononcés en vain.

Revenons sur le sujet du célibat. L'Homme avec un grand H n'est pas fait pour vivre seul. Cette affirmation est basée sur l'évidence.

À moins d'avoir une nature d'ermite, les célibataires recherchent continuellement de la compagnie. Beaucoup affirment ne pas vouloir d'une vie de famille, pourtant ils en recréent le schéma. Ils se réunissent à 8, 12 ou 20 personnes autour d'une table de restaurant. Ils imitent les fêtes des grandes familles d'antan. Plutôt que de célébrer en famille à la foire ou à domicile, ils vont en boîte et se croient libres de responsabilités, parce qu'ils sont entourés d'amis et d'étrangers. (Remarquez que les couples ayant un ou deux enfants plutôt qu'une douzaine recréent les mêmes archétypes des grandes familles avec les fêtes d'enfants et les garderies.)

En fait, les célibataires d'aujourd'hui sont plutôt des ex dont la vie de couple a échoué. Ils ont démissionné, sont blessés, devenus trop exigeants ou dépressifs, etc. Chacun a son histoire et sa misère dans un placard de ses émotions.

14
Le féminisme

L'arrivée du féminisme a tout changé. Je sais, je n'ai pas le droit de parler contre le féminisme, on va me lancer des tomates. Je les ai déjà reçues parce que plusieurs personnes qui se disent féministes ont l'habitude de monter aux barricades sans prendre la peine d'essayer de comprendre pourquoi j'en parle. Et, en passant, j'aime les tomates.

Trêve de plaisanteries, je précise immédiatement avant d'être lapidé ou avant que vous jetiez ce livre par la fenêtre, que mon unique intention est de décrire les changements qu'a apportés le mouvement féministe dans les rapports hommes-femmes, pas d'en faire le procès ou la thèse.

Je trouve triste et pénible la vie des femmes de notre époque. Elles se prétendent libérées face aux hommes, alors qu'il ne leur manque que des chaînes aux pieds. Pensons-y un peu. Elles collaborent constamment au plaisir des hommes.

L'homme a toujours rêvé de polygamie. Les féministes lui ont livré ce fantasme sur un plateau d'argent, sans s'en apercevoir. Croyez-moi, le féminisme fait l'affaire des gars.

L'homme est un génie sexuel. Il réussit à passer d'une fesse à l'autre en toute liberté en faisant croire aux filles qu'elles sont libres de leur corps. Résultats ? Des familles éclatées. Le couple a craqué et, lorsqu'il n'y a pas d'amour, même le bébé ne passe pas, c'est illico l'avortement !

Le féminisme est avant tout une affaire de gars. «Plus de femmes émancipées» se traduit par «plus de femmes au lit» pour eux. Je ne serais pas surpris d'apprendre un jour que le féminisme est une invention orchestrée par un homme, car il en retire bien des avantages.

Le féminisme n'a pas libéré la femme, mais l'homme. La femme lui offre la pilule, l'avortement et son appartement. Il n'a plus à s'engager et obtient du sexe gratuitement.

Les gars ont trouvé le moyen d'être polygames sans responsabilités. Certains gèrent plusieurs relations de front et d'autres vivent une polygamie hypocrite, c'est-à-dire successive.

La polygamie successive, c'est une fille à la fois, et on passe à la suivante : France vendredi dernier, Cathy hier midi, Josée demain soir, Marie-Ève à travailler en fonction de samedi et Kim en réserve pour la longue fin de semaine à venir. Je vous assure que Louis XIV n'était pas aussi choyé que cela.

Les féministes se sont débattues pour qui ? Cela a fait l'affaire de qui ? Des *boys* !

Avouons-le, tout est en place et organisé pour les gars. Le féminisme, à long terme, a joué contre les femmes. Leur travail relatif aux droits fut très efficace, mais elles devront maintenant militer pour leur vie affective.

Je souhaite que les hommes les appuient de ce côté, car les femmes sont foncièrement sincères, honnêtes et de nature généreuse. Actuellement, elles s'investissent totalement et trop souvent dans des relations temporaires.

Il est temps que les hommes s'engagent à long terme. J'accuse les hommes de maintenir leur paradis sexuel, en profitant des femmes qui sont à la fois dévouées et carencées ; elles luttent à tout instant pour leur survie amoureuse.

Les femmes ont encore beaucoup de travail à faire. Elles devront reprogrammer l'homme à l'engagement et à la vie familiale.

Il faut cesser de propager de fausses croyances avec des pancartes contradictoires où il est écrit : « Mon corps m'appartient ». Contradictoires parce que ce corps qui lui appartient, la femme le donnera une fois de plus à un inconnu sous prétexte qu'elle est libre.

15
Le don de soi

Une famille c'est comme une entreprise, et il faut un chef. Le chef se doit d'être l'homme.

C'est mal commencé, non? Déjà j'entends rire les hommes et je vois rager les femmes. Attendez, ne sautez pas trop vite aux conclusions.

Je sais pertinemment que « chef » et « soumission » sont deux mots qui ont l'effet d'une bombe et qui, surtout, font horreur aux femmes.

Lorsque je parle d'un chef, je ne parle pas d'un gars qui se frappe la poitrine en criant : « C'est moi le chef! » Oubliez l'image de la petite stupide victime d'un tyran. Je ne vous propose rien de semblable.

Chef = responsabilités

Dans une entreprise, il n'y a qu'un seul PDG, dans un autobus un seul chauffeur, de même que dans un avion il n'y a qu'un pilote.

C'est toujours le plus qualifié qui est désigné en tête. Oh, non! Ne recommencez pas à rire ou à crier. Laissez-moi expliquer.

Le chef dans un couple, c'est l'homme, parce qu'il n'a pas le choix. Pourtant il peut très bien se passer de ce titre, car pour lui c'est sans importance à moins qu'il soit orgueilleux ou de nature tyrannique. Mais nous parlerons d'un couple tout à fait normal dans ces lignes.

Le chef se doit d'être l'homme, parce que c'est la demande de la femme. Une femme recherchera toujours plus fort qu'elle.

Une femme cultivée recherchera un homme plus cultivé qu'elle. Une femme riche voudra un homme plus riche. Une menteuse va s'extasier devant le talent d'un plus menteur. De même pour les qualités de cœur ou la force morale: les femmes admirent et désirent plus grand qu'elles.

Voilà pourquoi une femme amoureuse est naturellement soumise, voire aimante et donnée. La nature profonde de la femme, c'est le don de soi. D'où l'importance de faire le bon choix d'un partenaire de vie.

Je tiens à féliciter une grande dame de chez nous (au Québec) qui œuvre dans la culture au théâtre: Denise Filiatrault, une femme de caractère qui, en quelques mots, a résumé la situation de bien des femmes déçues de leurs choix amoureux.

Elle a dit: «Je ne veux plus être *en amour* car en amour je deviens soumise. Si je sors avec un restaurateur, je deviens serveuse. Et si je sortais avec un gangster, je cacherais probablement les armes.»

C'est la seule femme, à ma connaissance, qui a eu le cran d'expliquer publiquement le mot «soumission» avec justesse. Il est vrai que Mme Filiatrault a la réputation de dire tout haut ce qu'elle pense.

Les femmes disent qu'elles ne sont pas soumises seulement par fierté. En somme, elles nient leur nature profonde qui est l'abandon dans l'amour. Pour une femme, le don de soi est naturel et non culturel.

Observez avec quelle rapidité une femme se lève la nuit pour prendre soin de son bébé.

Les femmes modernes vivent trop dans la dimension de l'homme; elles oublient la leur, elles l'ignorent. Cela crée un déséquilibre émotionnel et rationnel. Émotionnel parce qu'elles sont constamment en peine d'amour; rationnel parce qu'elles n'en reconnaissent pas la cause. Cela mène à toutes sortes de contradictions. Dans une file d'attente à la caisse d'un supermarché, j'ai entendu une fille dire ceci à sa copine: «Il n'est pas question que je prépare les repas à mon *chum* ou que je lui serve son café le matin.» Quelques minutes plus tard, je l'entends dire: «Demain ce sera moins stressant au restaurant, car le patron ne sera pas là.»

Voyez-vous la contradiction? Cette fille refuse de servir un repas ou un café à son copain et elle en sert toute la journée à des inconnus.

Les contradictions de ce genre, on peut les appliquer partout. Pensez à la fille qui dit qu'une femme à la maison est enfermée entre quatre murs. Elle ne s'aperçoit pas qu'une secrétaire est aussi enfermée entre quatre murs? Pire, dans un bureau à cloisons, un «cubicule», dirions-nous sous l'influence de l'anglais! Pensez-y! C'est bien pire encore! Elle doit rester assise dans ce bureau pendant huit heures!

16
Contradictions et aberrations sur la sexualité

L es contradictions ainsi que les aberrations sont nombreuses lorsqu'il s'agit du sexe. En voici un exemple qui, vous l'admettrez, est incompréhensible.

Des policiers arriveraient en vitesse chez votre voisin s'il était aperçu nu chez lui en compagnie de votre enfant ou de ceux du quartier.

Les services de l'enfance vous interrogeraient sûrement si vous preniez trop souvent des clichés de vos enfants nus dans le quotidien. Qui ne possède pas une photo de bébé nu dans son bain?

Voici le non-sens: le naturisme! Comment peut-on permettre que des familles soient naturistes et pratiquent ensemble le nudisme?

Comment peut-on accepter que des parents puissent se promener et tenir des activités sportives complètement à poil en compagnie de leurs enfants? Par surcroît en compagnie d'étrangers, comme si tout cela était normal? Pourquoi n'est-ce pas interdit? Pourquoi n'y a-t-il pas de descente de police dans ces endroits?

Voici un autre exemple d'égarement que j'aimerais souligner. Pourquoi enseigner la sexualité aux enfants dans les écoles? Laissez donc les enfants tranquilles. Souvent ils ne sont même pas en âge d'être éveillés à la sexualité.

Imaginez un professeur à tendance pédophile. De quelle façon peut-il freiner sa maladie?

Je parle d'un professeur, mais imaginez un pédophile tout court. Un malade aura de la difficulté à comprendre qu'il est permis aux enfants de faire l'amour entre eux, mais pas avec lui.

Dans sa tête de malade, il ne comprendra pas pourquoi une fille de 13 ans peut avoir une relation sexuelle avec un gars de 17 ans, mais pas avec un gars de 25 ans ou plus.

Une anecdote me revient à propos des cours de sexualité. Il y a quelques années, à son retour à la maison, mon fils a déposé sur la table un petit paquet qu'il avait reçu en classe.

Surprise! Dans ce petit paquet se trouvaient un condom et un petit tube de lubrifiant. Un condom pour se protéger des maladies transmissibles sexuellement et un lubrifiant au cas où la fille ne serait pas suffisamment lubrifiée.

Mon fils avait à peine 11 ans. C'est scandaleux! «Va, jeune fille», lui donne-t-on comme message; «si tu n'es pas prête, voici la solution: utilise un lubrifiant»! Pauvres filles, leur calvaire sexuel débute déjà!

Au secours, où sont passées les féministes? Les féministes sont absentes des cours de sexualité dans les écoles. Par contre, dans nos écoles, nous retrouvons facilement des infirmières qui distribuent des contraceptifs et la pilule du lendemain. On prend bien soin de nos jeunes filles, n'est-ce pas?

2. ALÉAS DE LA VIE DE COUPLE

17
Le petit café

Les temps ont changé, la vie coûte cher et maintenant deux salaires sont souvent nécessaires pour boucler le budget d'une famille. Puisque les deux personnes travaillent, la réalité du quotidien a considérablement changé les relations de couple.

Je dois absolument vous parler du petit café. En fait, on devrait dire «le maudit café». La majorité des divorces ou des problèmes de couple proviennent du petit café. Cela débute toujours par le petit café. Il s'en dit des choses autour d'un petit café! Il prend tellement de place dans notre vie que l'on pourrait écrire un livre épais uniquement sur les histoires qui gravitent autour de lui. D'ailleurs, une série télévisée très comique, produite au Québec, porte sur le sujet: *Caméra Café*. C'est une parodie de toutes les imbécilités qui peuvent se dire et se passer près d'une machine à café dans une tour de bureaux entre collègues de travail.

Mais la pause-café dans la vraie vie, c'est sérieux, car on ne peut y échapper. Il faut savoir éviter les pièges que ce moment de répit peut nous apporter.

Beaucoup d'hommes et de femmes ont hâte d'entrer au travail le lundi uniquement pour la pause-café. En y regardant bien, il y règne presque une ambiance de boîte de nuit. C'est l'endroit devenu idéal pour draguer.

Les gars se poussent du coude pour voir les belles filles. Un compliment en passant, ensuite les clins d'œil complices et ils se précipitent aux pauses-café.

Les phrases les plus souvent répétées au travail sont : « À quelle heure est ta pause ? » ; « On se voit à la pause ? » ; « Je t'apporte un café ? » ; « Tu n'as pas l'air de bien aller. Tu me racontes cela à ta pause ? »

Le moment de la pause-café est propice aux confidences. Une certaine intimité entre les collègues de travail s'installe. Avec le temps, ils se découvrent des affinités et deviennent complices. Voilà le piège du petit café ! La fille finit par dire à son collègue : « Toi, tu me comprends ! J'aime beaucoup discuter avec toi. » Le gars de répondre : « Bien sûr, je vis des problèmes semblables aux tiens avec ma blonde. »

Le danger pour deux personnes de se rencontrer régulièrement autour d'un petit café, c'est de finir par se retrouver tout nus au lit avec une bouteille de champagne. Le petit café leur a fait oublier, à tous deux, que les couples qu'ils viennent de briser avaient débuté de la même façon.

Au travail, vous ne pouvez pas éviter les pauses-café. Par contre, vous pouvez éviter de parler de vous. Limitez vos

conversations au syndicat, à la nouvelle imprimante ou bien
à la météo. En fait, parlez de tout, sauf de vous et de vos
sentiments. Sinon, vous trouverez immanquablement quelqu'un pour vous comprendre et cela peut vous perdre. De
toute façon, si vous ne ressentez pas de dangers pour votre
vie de couple, prudence oblige, parlez très peu au travail, car
vos dires peuvent se retourner contre vous.

18
Comment protéger son couple

1. *Premièrement: taisez-vous!*

2. *Deuxièmement: n'écoutez pas!*

3. *Troisièmement: éliminez l'orgueil!*

1. Premièrement, taisez-vous!

Si vous êtes comme la plupart des gens, vous avez sûrement pensé que je vous suggérais de vous taire concernant certaines questions chez vous, au sein de votre couple. Et pourtant, c'est à l'extérieur que je vous recommande de garder le silence.

Bien des femmes ont perdu leur mari parce qu'elles avaient trop parlé. Trop parlé à la fameuse pause-café au travail, on le sait, mais aussi à leurs amies ou en société! (L'inverse serait aussi vrai, sauf que la femme qui aime est fidèle, c'est intrinsèque.).

Une femme qui parle de son couple est en danger. Je n'exagère pas, c'est une réalité. Faites votre enquête et vous constaterez que c'est exact.

Si une femme confie qu'elle vit des difficultés dans sa vie de couple, les premiers conseils qu'elle entendra seront : «Je te dis que moi, je n'endurerais pas ça ! Rends-lui la pareille ! Essaie ceci, fais cela», etc.

Rarement les conseils porteront vers une réconciliation. Ce seront des directives, des doléances ou des épanchements exclusivement émotifs.

D'autres femmes ont vu leur couple se briser parce que cette fois-ci, elles racontaient leur bonheur. Je vous assure encore une fois que trop parler, que ce soit en bien ou en mal, c'est dangereux. Une femme qui est fière de son mari et qui décrit à une autre femme ses qualités d'homme responsable et aimant, risque de se le faire prendre.

Pensez à toutes ces femmes insatisfaites de leur vie amoureuse à qui vous vanteriez les mérites de votre mari. Une femme aux recherches infructueuses pourrait porter son attention sur l'homme qui possède les qualités décrites, c'est-à-dire le vôtre, et elle fera alors tout pour se l'approprier.

Mesdames, si vous êtes heureuses et voulez protéger votre couple, taisez-vous !

Soyez prudente dans le choix de votre confident ou confidente, car les informations recueillies pourraient être utilisées contre vous.

J'ai été témoin de plusieurs cas semblables. Je comprends sans trop juger et surtout sans appuyer ce comportement chez ce que l'on pourrait appeler: les voleuses d'hommes.

On retrouve souvent des voleuses d'hommes au travail. C'est habituellement une secrétaire qui s'éprend de son patron marié ou une fille qui se met à charmer son collègue de travail qui lui aussi est marié.

La raison qui rend cela possible est la proximité. Ils sont en contact toute la journée. Rares sont les couples qui se côtoient autant en 24 heures. Donc, une secrétaire apprend à connaître son patron. Elle analyse son caractère, elle l'entend dire des mots tendres à son épouse au téléphone, elle le sait fidèle et aimant. Elle use du même stratagème avec un collègue de travail.

Elle ne se dit pas: «*Je vais le voler!*» Cela vient petit à petit. Ses sentiments pour l'homme convoité évoluent au fil du temps. Cela peut commencer par de l'admiration. Au tout début, elle se dira que c'est un homme comme lui qu'il lui faut, pour ensuite transformer sa pensée ainsi: «*C'est lui qu'il me faut!*»

Messieurs, si vous êtes vraiment amoureux et heureux en couple, taisez-vous! Trop de femmes rêvent d'être bien accompagnées.

À l'inverse, un scénario semblable pourrait aussi se produire si un homme confiait à un de ses pairs que sa femme possède un corps à faire rêver tout en étant très sensuelle. Celui qui entend cette déclaration pourrait tout mettre en œuvre pour la rencontrer et tenter de la séduire.

2. Deuxièmement, n'écoutez pas!

Ce qu'il faut surtout ne pas écouter pour protéger son couple, c'est ce que disent les autres. Beaucoup d'hommes se vantent de leurs prouesses sexuelles ou d'avoir une femme qui les laisse libres.

Si un homme qui vit une relation de couple harmonieuse est un tantinet faible, il se dira après avoir écouté de telles choses: «Eh! ma femme n'est pas comme cela, elle pourrait être un peu plus cochonne ou permissive!»

Cet homme heureux en ménage risque de devenir insatisfait. Entendre constamment ce genre de propos est inévitable dans un milieu de gars. Mais entendre et écouter sont deux choses différentes.

Entendre est tout à fait normal à moins d'être sourd. Mais écouter veut dire porter une attention, analyser et emmagasiner. C'est uniquement de cette façon que l'on programme un cerveau. Un cerveau est facilement programmable, surtout s'il est question de plaisirs.

Un homme doit rester ferme et avoir une certaine force pour censurer les images mentales associées à ce qu'il entend. Sinon il pourrait avoir toutes les difficultés à ne pas se laisser contrôler par sa testostérone et une libido disloquée.

Pour une femme, c'est différent, mais cela se passe aussi entre les deux oreilles. Elle sera sensible à tout ce qu'elle entend.

Messieurs, soyez tendres dans vos paroles et dans votre ton, lorsque vous vous adressez à votre compagne de vie.

Des gars qui parlent fort entre eux peuvent, tout de suite après une dispute, prendre une bière ensemble avec plaisir. Tout est oublié. Ce n'est pas la même chose pour une femme. Une dispute ébranle et pénètre tout son système.

Une femme n'oublie pas, même si elle vous dit le contraire. Bien sûr, certaines sont moins sensibles que d'autres, mais un comportement déplacé laisse toujours des cicatrices plus ou moins apparentes. Cela explique la tendance des femmes à revenir sur le passé.

Qu'est-ce qu'une femme ne devrait pas écouter pour protéger un couple qui va bien ? D'abord, qu'elle ne regarde pas trop de films d'amour, sinon elle pourrait comparer son quotidien avec le cinéma. Programmée par les films, elle se découvrira un mari ennuyeux et lui demandera des démonstrations d'un amour véritable. Je vous prédis que, malgré tous ses efforts, cet homme n'arrivera pas à la satisfaire et surtout ne comprendra rien à ses attentes.

Une femme devra aussi fermer ses oreilles ou du moins ne pas prêter attention aux histoires racontées par ses amies célibataires sur leurs merveilleuses soirées passées avec de nouveaux soupirants. Rien à voir cependant avec certaines femmes bien entourées de leurs semblables totalement fiables qui tenteront tout pour sauver le couple, y allant de suggestions, en ce sens elles doivent pouvoir s'écouter...

Nous savons qu'un gars qui sort pour la première fois avec une fille met le paquet pour la séduire. À force d'écouter ce genre de récit, une femme aux oreilles bien tendues trouvera sa vie bien monotone. Elle commencera à se plaindre et finira par exiger un changement de comportement de la part de son mari.

Hommes ou femmes, chaque groupe à leur façon, peuvent souffrir de ce qu'ils laissent entrer par leurs oreilles. Soyez vigilants.

3. Troisièmement : éliminez l'orgueil !

Pour protéger son couple, demander d'éliminer l'orgueil est un peu fort, voire impossible. La race humaine est profondément orgueilleuse, mais cela se travaille, surtout si l'enjeu en vaut la peine. Il s'agit de votre couple !

On ne peut pas toujours contrôler le climat au travail. Au bureau, à l'usine ou au chantier, nous sommes obligés de fonctionner avec des gens qui ont des personnalités différentes. Ce qui implique toutes sortes de conflits et de problèmes à résoudre. Presque tous ont hâte de se retrouver chez soi le soir et les fins de semaine. Pourquoi ? Parce qu'en principe, à la maison, nous sommes supposés retrouver la paix et le repos.

Je dis bien « supposés », car dans un bon nombre de foyers, la paix et l'harmonie sont totalement absentes. L'endroit où l'on devrait être en paix et en contrôle, c'est bien chez soi, non ? Eh bien, non, l'orgueil est au rendez-vous.

Des gens qui, au départ, se sont choisis avec amour et respect, peuvent se disputer *ad vitam æternam*.

Lorsque vous questionnez un couple qui se dispute, les deux parties ne peuvent même pas en trouver la raison. On vous en expliquera les raisons émotives, mais pas la cause.

Souvent les partenaires oublieront même le motif de leur querelle et ils ne se souviendront pas de son point de départ.

En général, c'est l'orgueil qui mène aux disputes et qui est responsable du vent de zizanie. Demandez-vous si l'orgueil est présent, au moment où une engueulade est sur le point d'éclater.

En comprenant ce principe, l'orgueil prendra de moins en moins de place. En étant moins orgueilleux, on excite moins l'orgueil de l'autre.

19
L'enfer ou le paradis d'une relation amoureuse

Je suis certain que vous avez hâte que je vous parle du paradis amoureux, mais pour le moment, je vais rester un peu dans l'enfer. Je vais être mieux compris, car le nombre de gens est plus grand en enfer. Allons voir ce qui s'y passe.

Au départ, on retrouve dans l'album de photos de tous les couples en enfer qui désirent divorcer, un cliché de leur mariage. Quelle belle photo! Des gens épanouis et heureux. Que s'est-il passé?

J'ai des trucs infaillibles à donner aux individus qui réclament l'enfer d'urgence. On pourrait commencer par une joute d'émotions. Une joute sans règlements ni arbitres. Une joute où les joueurs seraient laissés à eux-mêmes, où il n'y aurait pas de gagnants. C'est l'anarchie assurée. C'est pourtant de cette façon que les relations hommes-femmes sont vécues.

Comparez un match de hockey aux couples modernes. Chicago a triomphé! La semaine prochaine, Chicago rencontre New York! François a fait une passe à Marie-Josée! Et c'est le but avec Audrey! La semaine prochaine, François rencontre Marie-France!

Les couples dans l'enfer vivent de réflexes et d'émotions. À long terme, tout le monde est perdant dans les relations temporaires. C'est le monde d'aujourd'hui.

Avez-vous remarqué toutes les maisons à vendre? Pas une seule rue n'est épargnée par ces pancartes «Maison à vendre». On a l'impression que toute la ville est à vendre. Que dis-je? Tout le pays, toute l'Amérique est à vendre! Ces pancartes annoncent, pour la majorité, une séparation de couple. On se sépare, alors on déménage. Si un fort pourcentage de couples se séparent, il ne faut pas s'étonner de voir autant de maisons à vendre.

Je vous encourage, si vous êtes sans emploi, à vous procurer un camion de déménagement. Vous ne manquerez plus de travail.

Vous pouvez également investir dans une compagnie de valises, les gens sont continuellement en transit. C'est le résultat de toute cette «*game*», ce jeu de réflexes et de sentiments désordonnés où l'amour est absent.

Vivre le paradis dans une relation amoureuse demande un acte d'intelligence, d'engagement et de volonté. Il faut faire un choix intelligent. Est-ce intelligent d'être avec cette personne? Si oui, il faut ensuite s'engager avec la volonté du long terme. Ces trois choses simples sont pourtant la plus grande difficulté des couples.

20

L'amour « pogné »

L'amour pogné est le plus fort, le plus tenace du monde. Il est inséparable. Il relève d'un couple qui n'a aucun sens. Souvent sans aucune affinité, deux personnes se soudent dans une incohérence d'émotions contradictoires. Elles s'aiment et se détestent à la fois.

Il n'est pas question ici des couples qui parfois ont des divergences d'opinions ou à l'occasion des sautes d'humeur, mais bien de ceux qui ont un plaisir fou à susciter la polémique et l'anarchie. Ces gens se livrent des combats d'intelligence et d'orgueil sans fin. La joie de gagner sur l'autre leur procure un plaisir qui les motive à persister dans leur relation trouble. Pour beaucoup, les émotions fortes sont synonymes d'un grand amour. C'est ce qu'ils appellent l'amour fou, l'amour passion.

On rencontre plusieurs variantes d'amour « pogné ». Il y a *l'amour épidermique* : le gars qui vit avec une superbe belle fille égoïste et au caractère exécrable. Ce gars-là endure tout d'elle et il en devient presque l'esclave. Elle exige beaucoup de son compagnon et le critique sans arrêt. Elle lui accordera rarement une relation sexuelle qui sera, selon sa convenance, ou rapide ou mémorable. Cela dépendra invariablement de son degré d'insatisfaction ou de satisfaction.

Dans la même thématique, il y a également le gars, qui lui aussi partage sa vie avec une superbe beauté et qui finit par développer une jalousie excessive. Il l'épie constamment, lui téléphone à toute heure et elle doit sans cesse le rassurer de son amour. Au début, la fille pouvait apprécier l'attraction provoquée par sa beauté, mais la relation devient infernale dès qu'elle commence à donner des signes de lassitude par rapport au comportement jaloux.

Dans ces deux exemples, les gars ont une fixation déraisonnable sur l'épiderme. Ils sont captivés par la belle fille et ils ont une peur maladive de la perdre.

Dans l'amour «pogné», on rencontre aussi le phénomène de l'héroïque, *l'amour sauveur*. C'est habituellement une femme qui tient le premier rôle, croyant que son amour a le pouvoir de procurer du bonheur et fera changer de voie un homme qui, pour elle, fait fausse route. Elle sera omniprésente et se dévouera sans jamais abdiquer.

Il est courant que la femme héroïque vive un amour «pogné» avec un alcoolique, un toxicomane, un délinquant, un individu violent ou une personne atteinte de maladie mentale. L'héroïne aura alors une longue et pénible relation à endurer. Elle se demandera pourquoi son compagnon tarde tant à devenir le reflet d'elle-même. Elle peut continuer à aimer même si elle s'en retrouve délaissée. Son amour prend alors une forme névrosée.

L'amour fouine est probablement l'amour « pogné » le plus épuisant. C'est au départ le gars ou la fille qui souffre d'une insécurité presque morbide. Cette personne a fréquemment besoin d'être rassurée et s'inquiète de tout et de tous. Il faut lui soumettre un rapport sur son emploi du temps, elle veut savoir qui appelle et pour quel motif. Elle veut connaître les dépenses, vérifie les comptes, demande un résumé des conversations en son absence ; il faut lui raconter notre passé, lui décrire ce que l'on a mangé, à quelle heure on s'est levé... En bref, c'est quelqu'un qui fouine partout.

Une façon efficace de rassurer une telle personne est de la nourrir en potinages et en compliments. Une dépression est presque assurée si vous lui débranchez le téléphone. Pour survivre dans ce couple, il faut absolument occuper la fouine ailleurs, car vous voyant las de répondre à ses questions, elle pourrait exploser de colère et commencer à vous soupçonner dans tout.

Une autre forme d'amour « pogné » est *l'amour dominant*. Cette dynamique est presque exclusivement masculine. Un homme bien organisé, au fort caractère, désire tout orchestrer. Il faut que tout fonctionne à sa façon. S'il décide de conquérir une femme, il le fait avec art. Beaucoup d'hommes ont ces qualités, mais parmi ceux-là (ici on ne décrit que les malades), il peut se cacher un caractère violent, qui non décelé *a priori* peut placer une femme en mauvaise posture ou carrément en danger.

Tout se gâte lorsque ce genre d'homme décide de former un couple ou une famille. Il devient rapidement tyrannique. Son tempérament de meneur épuise son épouse et ses enfants. Sa femme peut longtemps rester à ses côtés dans l'espoir de retrouver celui qu'elle a vraiment aimé. Si elle manifeste moindrement le désir de le quitter, cela peut éveiller en lui son côté monstre. Ce qu'il a conquis lui appartient. La déraison de certains de ces hommes peut les mener à la violence et parfois jusqu'au meurtre. C'est navrant et inacceptable. C'est le résultat d'un esprit déréglé. Ce n'est pas de l'amour, c'est une soif de posséder qui est hors norme.

Heureusement, beaucoup de qualités accompagnent les hommes à caractère fort. Lorsque cela va bien dans leur tête, ils sont très appréciés. L'amour dominant peut certes être inconfortable, mais fonctionner très bien toute une vie si la partenaire ne prend pas tout au sérieux. Chez les dominateurs équilibrés, la compétence amoureuse compense et arrive même à corriger, parfois, l'image de suprématie qu'ils exposent.

L'amour transitoire est le plus courant des amours « pognés » de nos jours. Les deux partenaires, peu importe le sexe, sont incapables de vivre une relations permanente. Dans leur tête, ils sont toujours en transit. Pendant qu'ils sont en couple, ils pensent à quelqu'un d'autre ou en sont à la recherche. Ils sont continuellement insatisfaits de leur partenaire.

Ces gens ont pourtant un grand potentiel amoureux, mais ils sont franchement intolérants. Il y a toujours une ou plusieurs choses qui clochent. Plutôt que de vivre l'amour, ils en rêvent. Au lieu d'apprécier les qualités existantes de l'autre, ils les cherchent ailleurs. Ces personnes peuvent passer d'une relation à une autre, toute leur vie.

En fait, l'insatiabilité cache un profond désarroi qui doit absolument être traité. Cet état limite appartient généralement aux personnalités limites et mène à une confusion totale, qui est tantôt amoureuse, tantôt sexuelle. L'excès est partout. Ils aiment tout en détestant, se donnent et exigent des autres, font des plans pour ensuite s'en dégager.

Certains patients aux prises avec le trouble de la personnalité limite (*borderline*) arrivent tout de même à maintenir leur couple. Ceux et celles qui partagent leur vie avec de telles personnalités vivent vraiment un amour « pogné », où ils se balancent fortement et oscillent comme un pendule entre l'enfer et le paradis.

On retrouve également dans l'amour « pogné », *l'amour menteur*, typiquement masculin. Le gars, au restaurant, dit à sa compagne qu'il se rend aux toilettes ou à l'extérieur pour fumer, mais à la place, il téléphone à sa maîtresse. Un autre jour, il prétexte un congrès, mais c'est pour prendre des vacances, genre lune de miel, en toute quiétude avec une nouvelle flamme. Au travail, il fait des heures supplémentaires et ne connaît pas de jours fériés. Les relevés bancaires ainsi que les relevés de cartes de crédit restent au bureau. Il se plaint tout le temps, mais ne fait pourtant que ce qu'il aime.

Les menteurs sont prisonniers de leurs mensonges, car ils tiennent mordicus à préserver les apparences. Mener une double vie les stimule. Mentir à propos de tout et de rien, devient alors plus fort qu'eux. Celles qui s'en rendent compte développent parfois le plaisir inconscient de surprendre les

PROPOS SUR LA DIFFÉRENCE

mensonges du menteur. Lorsqu'un doute lui est soulevé ou qu'enfin une preuve de duperie lui est amenée, le menteur entre immédiatement dans une colère monstre qui fait fuir illico le bon sens de sa partenaire. Sa jouissance en est alors décuplée et il dort sur ses deux oreilles. D'ailleurs, il se croit.

Les joueurs compulsifs, les utilisateurs de drogues et les alcoolos font aussi partie de ce groupe d'amour menteur. Dans ce cas, il n'y a pas de différence entre les hommes et les femmes. L'amour menteur peut perdurer jusqu'à épuisement.

L'amour conditionnel est un autre exemple d'amour «pogné». Dans ce couple-ci, tout est encodé, calculé et réglementé. «Je fais le lavage, alors tu passes l'aspirateur.» «J'ai fait les courses, donc tu dois faire le dîner.» «S'il y a une soirée de hockey, il y aura une soirée de filles.» «Je paie cette facture si tu me promets de payer la suivante.» «Nous irons au cinéma si cette fois tu me laisses choisir le film.» «Nous ferons l'amour si tu…» «Tes parents pourront venir si tu…» «Nous achèterons cela quand tu…»

Tout va pour le mieux tant que chacun déploie l'énergie nécessaire au partage conditionnel. Ces couples semblent très heureux, mais ils réussissent à survivre au temps qui passe uniquement au prix d'incessants marchandages.

L'amour manipulateur est sûrement celui à classer au sommet du palmarès de l'amour «pogné». Il les englobe tous. Son point fort est de manœuvrer les émotions sans aucune indulgence, mais avec fantaisie. Le manipulateur ou la manipulatrice étudiera d'abord les points forts de l'autre pour les éliminer et évaluera ensuite ses points faibles pour jouer avec. Chacun des points faibles sera utilisé pour obtenir un service ou un bien. La gouverne du manipulateur sera longue si elle n'est pas démente.

Je place *l'amour grossier* dans une sous-catégorie de l'amour « pogné ». C'est une classe à part et triviale. L'amour grossier relève presque exclusivement des personnes sans culture ou de celles qui, par révolte ou laisser-aller salutaire à leur état d'esprit, laissent tomber toute convenance, toute contrainte dans les attitudes, les manières et le comportement. La politesse et les bonnes manières sont totalement absentes de leur quotidien.

Ces gens rustres utilisent un langage ordurier pour communiquer. Pour eux, l'amour est une caricature de deux personnes qui se détestent. Ils se réservent très rarement un bon accueil et se multiplient les reproches. Ils ont le rire gras et leurs compliments sont teintés de moqueries. Ne connaissant que l'insulte, tout ce qui leur semble supérieur est rejeté. Aucun sentiment de malaise ne les habite dans leur style poissard du bas peuple.

Des gens plus hypocrites, plus « sophistiqués » entre guillemets appartiennent à ce même groupe ; des gens qui, dès qu'on gratte un peu le vernis, se révèlent tout autre. Il y a le cas classique du gars qui parle au téléphone avec sa nouvelle conquête : « Bonjour, mon bel amour… » et qui, après quelque temps, lassé d'elle, change du tout au tout son langage : « Appelle pu icitte, ma **!?***?!!! »

L'amour « pogné » peut adopter diverses formes, car il est caméléon. Comment savoir si on vit un amour « pogné » ?

C'est simple : vivre un amour « pogné », c'est persister à accepter un constant inconfort en échange de maigres bénéfices, somme toute. L'amour, le vrai, c'est tout autre chose. Aimer c'est prendre soin de l'autre et non en avoir besoin.

Il ne faut pas dire : « Je t'aime parce que j'ai besoin de toi. » Il faut dire : « J'ai besoin de toi parce que je t'aime. »

Encore une fois, l'amour demeure un acte d'intelligence, un acte d'engagement et un acte de volonté.

21
La chambre à dispute

Se quereller peut devenir une habitude, on vient de le voir, mais ce n'est pas toujours irrémédiable. Chaque foyer devrait avoir à sa disposition sa chambre à dispute, une pièce dotée d'une minuterie qui sonnerait trois minutes après avoir fermé la porte. Cette chambre à dispute ne doit contenir que deux chaises séparées par un miroir à double face et, au mur, une énorme pancarte doit être affichée avec l'inscription : « Interdit de lever le ton et de dire des gros mots. »

Le miroir placé entre les chaises calme l'agressivité et évite de dire des bêtises. Personne n'a envie de lancer des insultes lorsqu'il se regarde dans un miroir. Ce serait comme s'injurier soi-même. Une dispute ne doit pas se prolonger au-delà de 3 minutes. Si on y pense bien, on peut vendre à peu près n'importe quoi à l'aide d'un message publicitaire de 30 secondes, alors 3 minutes, c'est amplement suffisant pour exprimer un désaccord. Il faut également laisser 3 minutes à l'autre pour connaître sa pensée.

Bien entendu, ce n'est qu'une image. Il serait presque ridicule d'avoir pour vrai chez soi un tel espace, mais chaque fois que l'envie vous prendra de vous disputer, pensez à cette pièce. Songez à l'expression agressive de votre visage qui apparaîtrait dans ce miroir. Pensez qu'on vous adresserait les paroles blessantes qui vous brûlent la bouche. Cela vous aidera à freiner votre élan. Rappelez-vous constamment qu'il est plus rapide et facile de détruire que de construire.

Dans un couple, surviennent invariablement des mésententes et quelques incompréhensions. Beaucoup ont une vie monotone à la maison et communiquent très peu ou très mal. Ce genre de couple cumule les frustrations. Ces gens ont l'habitude de se disputer chaque fois qu'ils sont reçus à dîner, obligeant leurs hôtes à être témoins de leurs querelles intestines. Comme ils sont incapables d'échanger entre eux, ils se servent de leurs amis pour prendre le parti de l'un ou de l'autre. C'est vraiment désagréable.

Il y a aussi des femmes, car ce sont majoritairement des femmes, qui ont lu dans certaines revues qu'il fallait trouver un temps propice pour expliquer ses doléances à son conjoint – le temps propice étant lorsqu'il est calme ou affectueux. Pauvre gars! Il n'aura jamais la paix. Imaginez-le: il s'assoit confortablement et elle se met à se plaindre. Une autre fois, il l'embrasse et elle commence à lui dire ce qui ne va pas. Là, il se met au lit et elle lui annonce qu'il faut se parler. Les hommes ne sont pas réceptifs lorsqu'ils sont au repos. Leur réaction première est de se dire: «Bon! C'est reparti! Je vais l'entendre chialer pendant une heure et j'aurai droit à trois jours de silence.»

Il ne faut pas attendre pour exprimer quoi que ce soit, il faut juste savoir le formuler correctement. J'ajouterais même qu'il n'est pas nécessaire de tout dire, car presque toutes les chicanes de couple ne sont que du brassage d'émotions.

Vous pouvez remarquer que l'ensemble des disputes d'un couple bien établi porte fréquemment sur les mêmes motifs. Perdre l'habitude des conflits perpétuels où se heurtent le cœur et l'esprit, est possible.

Je vais vous décrire une vraie dispute d'un couple qui s'aime vraiment. Un dit : « Tu en fais trop pour moi. » Et l'autre répond : « Non, c'est toi qui en fais beaucoup trop pour moi. » Ils s'obstinent à savoir qui en fait le plus. L'amour est inconditionnel.

22
Les thérapies de groupe pour couples

Une thérapie peut s'avérer très utile et efficace si elle est faite avec sérieux et surtout lorsqu'elle est encadrée par des professionnels.

C'est dans les thérapies de groupe que l'on retrouve le plus grand brassage d'émotions. Ces cours sont dirigés par des moniteurs plutôt que par des professionnels de la santé, mais ils sont certes très bien formés et surtout très bien renseignés sur les carences émotives des couples. En fait, leur directive de base est d'encourager les gens à se dire leurs quatre vérités.

Beaucoup de couples se sont retrouvés à de tels endroits sans s'en apercevoir. Le procédé pour recruter des participants est ancien, mais il fonctionne encore en ce nouveau millénaire. Voici la façon traditionnelle de s'y prendre. Un couple aborde un autre couple d'amis et l'invite à sortir pour une soirée. Prétextant une surprise, aucun détail sur cette soirée ne sera donné hormis l'adresse. Le couple en question découvrira sur les lieux que cette soirée en est une de sollicitation toute particulière.

En vérité, ils sont là parce que leurs amis ont suivi un cours présenté sous une forme de thérapie de groupe, pour améliorer leur vie à deux. Encore sous l'emprise de l'adrénaline, ils ont suivi les conseils du moniteur pseudo-thérapeute qui leur demandait d'amener un couple pour fêter la réussite de leur démarche. Le but était de les épater à la vue de tant de gens heureux ; ainsi, ils seraient tentés de s'inscrire à leur tour. La surprise est en fait une *BIG JOKE* !

Pour recruter des participants, ces spécialistes savent comment jouer sur la corde sensible des sentiments. Ils s'adressent donc principalement aux femmes, car tout chez elles y est lié. Ces femmes auront à persuader leur homme de s'y inscrire, et elles aideront à remplir la salle de nouveau après leur départ, soi-disant en parrainant des amis.

Imaginez un couple qui se parle très peu à la maison et qui subitement se retrouve dans un tel groupe. Encouragés à tout se dire devant témoins, ces gens seront félicités par l'assistance à chaque déclaration d'amour ou à la suite d'un lot de reproches et de bêtises. Ils vident leur sac et lavent leur linge sale devant des étrangers. Enfin on se soulage, on dresse un bilan des qualités et défauts de chacun. Un bilan des réussites et des projets qui n'ont pas abouti. On se questionne et on questionne. Dans ces groupes, on en met toujours plus. C'est une forme de spectacle préprogrammé par l'animateur où les acteurs répètent à quelque chose près le même scénario d'un groupe à l'autre.

Tous se motivent à crier leurs émotions. Cela se passe relativement bien tant qu'ils font partie du groupe. Lorsque la thérapie prend fin, ils repartent avec un pseudo-diplôme et retrouvent leur quotidien. Se croyant maintenant outillés et ayant pris l'habitude de tout se dire en déballant leurs émotions, ils font de leur vie un enfer. Ils ne sont plus encadrés par ladite thérapie ni par les accolades et les applaudissements qui appuyaient les dires de chacun. Ils sont laissés à eux-mêmes dans la dynamique d'une pluie de reproches continuels.

C'est alors la catastrophe ! C'est pire qu'avant ! Plusieurs de ces couples finissent par craquer et, pour utiliser une expression populaire, ils s'en veulent à mort ! Nombreux sont ceux qui, en réel besoin d'une thérapie de couple, se sont fait avoir dans du brassage d'émotions.

Il existe une multitude de couples qui surmontent des épreuves avec brio, mais qui, malgré tout, arrivent difficilement à communiquer. Il est prouvé que les couples qui survivent aux années qui passent le doivent au silence de la petite misère quotidienne, c'est-à-dire à ceux qui mettent de l'eau dans leur vin.

23
Les échanges de couples

On pourrait qualifier les échanges de couples ainsi:
«LA *BIG JOKE*».

C'est une attrape! En fait, c'est une trappe pour femmes.
C'est le plus grand coup de maître de l'homme.

Au départ, c'est le gars qui dit à sa femme: «On devrait
essayer cela, nous, les échanges de couples. Cela mettrait du
piquant dans notre vie. J'ai toujours rêvé de te voir en train
de te faire pénétrer par un gros cochon.»

Voyez déjà le mensonge! La vérité aurait été de dire
ceci: «Cela fait un bon moment que je veux participer à une
orgie, ce serait plus simple si tu étais d'accord.»

L'attrape dans tout cela, c'est que le gars amène sa femme
comme monnaie d'échange. C'est cela, l'échange de couples.
«Passe-moi ta femme, je te passe la mienne.»

Ça ne coûte pas cher! Encore du bénévolat sexuel pour
la femme. Elle ne s'en rend pas compte. Elle y participe

pendant un temps avec plaisir, car son mari est tellement attentionné et serviable depuis qu'il vit un paradis sexuel.

Oh oui! Il y en a du piquant dans ce couple. Il y en aura jusqu'au jour où Madame en aura assez de ce faux social, sexe et boissons alcoolisées. Jusqu'au jour où il lui dira une fois de trop que Myriam c'est la meilleure. Jusqu'au jour où elle-même pensera trop souvent à un certain Jean-Yves. Celui-là pourrait même lui promettre l'exclusivité.

QUELLE « *BIG JOKE* »!

24
Pourquoi les hommes préfèrent les jeunes femmes

Les hommes qui vagabondent sexuellement et ceux à la recherche incessante de nouvelles relations iront naturellement vers des femmes plus jeunes ou qui en ont l'allure. Évidemment, parce qu'il est dans leur nature d'agir ainsi.

Mesdames, s'il y a longtemps que vous cohabitez avec un homme, ne vous inquiétez pas d'avoir quelques rides ou un surplus de poids. Soyez-en assurées et rassurées. Il en serait tout autrement s'il ne vous avait pas vues pendant 10 ou 15 ans. Là, il vous trouverait changées et l'air fatigué.

Malgré votre collection d'albums de photos et de vidéos, en les visionnant, la seule chose dont il se moquera, ce sera de la mode du temps passé. Son regard s'attardera surtout sur l'amusante moustache qu'il portait fièrement et le regret du ventre plat sera pour lui-même, car l'humain a tendance à porter davantage attention à ses propres photos qu'à celles des autres.

Croyez-moi, un homme amoureux ne voit pas la beauté qui passe, mais celle qui avec le temps se bonifie. S'il s'attarde sur vos photos, ce sera avec les mêmes yeux que ceux d'une mère envers les photos de ses enfants lorsqu'ils étaient tout petits. Ce sera avec un regard tendre, avec pour seule nostalgie la vitesse du temps qui file.

Un homme fidèle trouve toujours son épouse au mieux. Voilà un autre aspect important de la continuité et de la fidélité d'un couple.

Par contre, celui qui vagabonde recherche toujours la beauté et la jeunesse parce qu'il vit un éternel recommencement. Il se retrouve souvent et vite à son point de départ. Il fréquente les mêmes endroits que dans sa jeunesse et en conserve les mêmes critères de sélection. Il y a aussi celui que le porno et les danseuses érotisent ou font vibrer. Comme les modèles présentés sont habituellement de belles jeunes filles, ses désirs le dirigent vers ce type de filles.

Il n'est déjà pas simple pour une femme d'âge égal à son partenaire de se voir vieillir, imaginez si en plus elle se retrouve plus âgée que son conjoint. Une femme peut très bien vivre avec un homme plus jeune. Dans ce cas, la crainte du temps qui passe est justifiée et chaque ride peut lui paraître amplifiée par la différence d'âge. Ces couples sont plus rares que l'inverse (homme âgé avec femme jeune) parce qu'ils sont plus difficiles à assumer par les femmes.

En passant, on entend régulièrement dire d'une femme qui a un partenaire de vie plus âgé qu'elle, qu'elle est à la recherche de son père. C'est vraiment de l'ignorance ! Il faut cesser de répéter ces âneries ! Depuis quand une fille désire-t-elle « frencher » avec son père ?

25
Les peines d'amour

Les peines d'amour n'existent pas. Il est impossible de vivre une peine d'amour, sauf s'il s'agit d'un deuil. Là, et seulement dans ce cas, l'expression peut être utilisée.

Dans l'amour, il n'y a pas de misères, il n'y a que du confort. On entend souvent dire : « Je suis tombé *en amour* », même si en français soigné, l'expression à privilégier serait « tomber amoureux ». Et après quelque temps, on entend : « On m'a laissé tomber. »

Le verbe « tomber » est utilisé dans les deux cas, pourtant on ne doit pas tomber en amour, mais monter en amour. L'amour se construit. « Tomber en amour » n'est pas crédible, il s'agit plutôt d'une passion irraisonnée et incontrôlée. Être laissé est parfois utilisé, parce qu'être délaissé produit vraiment l'effet d'une chute et même d'une rechute chez plusieurs.

Imaginez l'inconfort de tomber en amour, pour moi c'est l'action de se jeter soi-même par terre, pour qu'ensuite on nous laisse tomber. Là, on n'est pas loin de la commotion cérébrale.

Les peines d'amour sont souvent liées au « Moi ». Je me suis fait berner, je me suis trompé, trompée…, j'ai cru que… j'imaginais que… j'espérais que…

La vraie affaire, c'est le « Moi » blessé. On s'est trompé, on se ment à soi-même ! C'est ce qui est le plus difficile à accepter. Dans ce domaine, il n'y a aucune différence entre les hommes et les femmes. L'amour-propre est aussi puissant chez l'un que chez l'autre.

On ne pleure pas d'amour, on pleure pour soi, pour sa propre défaite.

On ne doit pas avoir de la peine pour quelqu'un qui nous quitte ; au contraire, si vous l'aimez vraiment, il faut l'aider à faire ses valises si cette personne n'est pas heureuse à vos côtés. L'amour, le vrai, va jusque-là !

L'amour est inconditionnel ; donc, un absolu dans l'amour est possible, mais pas dans une personne, un sentiment, une passion ou dans une attente.

C'est anormal de développer une dépendance sentimentale envers un être qui se veut absent ou indifférent. L'amour à sens unique, c'est de la névrose. Il faut dès lors se secouer et faire face à la réalité. On ne pleure pas une personne qui ne nous aime pas.

Quiconque vit vraiment une relation d'amour peut dire, de ses peines d'amour antérieures, qu'elles étaient certes douloureuses, mais non liées à l'amour véritable.

26
La banque d'amitié

Une banque d'amitié, c'est pour vous permettre de décrocher le gros lot en amour. Avec une banque d'amitié, vous serez non seulement en mesure de faire un choix fort, mais un choix libre.

Vous cesserez dès lors de mendier ou perdre. Il n'y aura plus de place pour un prix coco. On entend par prix coco une relation médiocre plutôt que de rester seul.

Une majorité de gens passe d'un prix coco à un autre toute leur vie, parce qu'ils sont constamment en état d'urgence et qu'ils contournent les règles de la banque d'amitié. En fait, ils n'en connaissent même pas le principe.

Dans le monde où nous vivons, il est impératif de se monter une banque d'amitié pour vivre un amour confortable et intelligent. Tout comme il faut passer par l'étape des études pour obtenir un diplôme.

Pourquoi? Mais c'est l'évidence même! Nous vivons dans un monde faux. Un monde d'imposteurs. Un monde qui prend sans remettre. Un monde manipulateur, grossier, menteur et surtout malade. Cela vous paraît énorme ou exagéré? Pourtant c'est une réalité. Soyez sceptique encore.

Combien de fois vous est-il arrivé de dire : « Ah! si j'avais su. Je ne l'imaginais pas comme cela. Cette personne me semblait si sincère. J'ai été berné. J'aurais dû me méfier. Je n'aurais jamais pensé qu'il ou elle était si fou ou si folle! »

Les gens s'investissent trop rapidement dans des relations de couple. Ils ne prennent pas le temps d'étudier le caractère, la mentalité et le comportement de la personne avec qui ils décident de partager leur quotidien.

Après coup, on les entend dire : « Mais qu'est-ce qu'il lui prend donc? Ce n'est pas le type de relation amoureuse auquel j'aspirais. » Ou bien : « Elle est donc épuisante! Peut-on rester tranquille un *week-end*? Qu'as-tu à chialer comme cela? Tu as changé, tu n'es plus la même. » C'est ce qui arrive aux gens qui s'embarquent dans des relations sans prendre le temps d'étudier l'autre.

Nous faisons ce qu'il faut pour protéger nos biens. Nous protégeons notre NIP (numéro d'identification personnel) bancaire, notre crédit et nos ordinateurs. Nous verrouillons les portes des maisons et des voitures. Nous postons des gardiens de sécurité et des caméras partout.

Alors pourquoi ne pas être prudent sur le plan sentimental? Pourquoi ouvrir son cœur et sa maison dès qu'une personne aimable se présente?

Ce n'est pas l'amour qui rend aveugle, c'est la passion. Il faut « monter » en amour et non y « tomber ». Les gens ont tendance à faire le contraire. Ils tombent en amour passionnément et, lorsque cette passion diminue, ils constatent qu'ils ne se connaissent pas, qu'ils vivent avec un étranger et qu'ils n'ont rien en commun. C'est effrayant !

Il y a pire, il y a ceux qui, même sans affinités, persistent à vouloir former un couple. Ils passent alors par des thérapies et par toutes sortes d'activités, jusqu'à ce que la haine et l'épuisement s'installent. Ils n'arrivent plus à se supporter. Et voilà ! Un autre couple qui a craqué. Quel paralogisme !

Beaucoup ne recueillent qu'échecs et chagrins d'amour. Ils peuvent passer une année avec une personne, six mois avec une autre, quelques années avec encore une autre et ainsi de suite. Quelqu'un peut répéter sans cesse le même scénario et être encore à la recherche de l'amour à l'âge de la retraite.

Pour éviter de faire des mauvais choix à répétition, la banque d'amitié s'impose.

Avant de sélectionner qui que ce soit, il faut enrichir votre banque de plusieurs candidats.

La réussite d'une banque d'amitié se concrétisera avec l'aide du sarrau blanc et du calepin. Le sarrau blanc fait référence au psychologue qui vous habite. Il faudra le porter constamment pour détecter les malades et les menteurs de toutes sortes. Le calepin est pour votre côté Columbo[1]. Vous devrez tout noter et ensuite valider les informations.

---

1. Columbo est une série télévisée policière américaine ainsi que le nom du personnage principal de cette série qui est un policier en apparence un peu niais, mais en réalité très tenace et très perspicace.

Ni le psychologue ni Columbo n'auraient une relation sexuelle avec une personne placée sous son évaluation ou sous son enquête. Il faut faire de même dans une banque d'amitié.

Il ne faut pas se laisser distraire par le sexe, sinon tous les efforts placés dans la recherche seront inutiles. Tout sera à recommencer. La fille cessera ses recherches parce qu'elle tombera encore une fois amoureuse du mauvais gars et le gars en recherche les abandonnera parce que sa pulsion sexuelle sera comblée ou temporairement satisfaite.

Donc, toute sexualité ou tout sentiment amoureux est fortement déconseillé pendant la recherche, afin de ne pas être détourné de l'objectif ni de fausser le jugement.

Je vais vous décrire la fille qui mérite le prix Nobel, sous cet aspect de la chasse entre sexes. Rapide et habile enquêteuse, une telle demoiselle sait au bout de deux minutes si elle a de bonnes chances de rencontrer un homme potable à l'endroit où elle pose les pieds. Elle balaie rapidement de son regard la salle pour évaluer la compétition féminine. Une fois le bilan de la compétition établi, elle prend un seul verre et circule pour écouter (calepin) et étudier (sarrau blanc) les hommes présents.

Sachant que le but de cette soirée n'est que d'agrandir sa banque d'amitié pour trouver l'âme sœur, elle n'y dépense pas son énergie à boire et à danser. Elle aborde les gars qui lui plaisent en toute simplicité. Portant son sarrau blanc et noircissant de pensées son calepin symbolique, elle questionne davantage qu'elle parle d'elle, parce qu'un lauréat du prix Nobel sait très bien qu'un gars qui veut plaire approuve tout de celle à qui il prétend... au début!

Notre prix Nobel emmagasine toutes les bribes d'information à sa portée et quitte l'endroit pour respecter la limite de temps fixée en vue de cette soirée. Elle n'aura conservé que les coordonnées de ceux qui auront répondu à ses critères. Elle poursuivra ses investigations lors de rencontres officielles.

Mesdames, dans la constitution d'une banque d'amitié, si dans une soirée vous ne trouvez rien d'intéressant, il faut quitter cet endroit.

Comme il n'y a pas de place pour la sexualité pendant les recherches, une fille pourra étudier et rencontrer plusieurs gars à la fois. Avant de choisir, elle prendra le temps de valider ses premières impressions. Ensuite, elle voudra rencontrer ses prétendants dans leur élément familial et social, pour vérifier si leur comportement est le même avec les autres qu'avec elle. Un garçon peut très bien se montrer parfait envers une fille. Soyez assuré cependant que s'il cherche la bagarre ou s'il est grossier avec les autres, il répétera tôt ou tard ce comportement avec sa nouvelle flamme. Une nouvelle mal-aimée.

Une fille carencée en amour aura plus de difficulté à entretenir une banque d'amitié, car elle peut plus facilement se laisser étourdir par les gentillesses et les prévenances. C'est pourquoi il lui faudra persévérer à éviter toute relation sexuelle pendant sa quête, car il est très facile et naturel pour un gars d'être agréable pour une ou plusieurs soirées consécutives pour les beaux yeux d'une femme qu'il désire.

Je vous garantis qu'une fille à son affaire, qu'un «prix Nobel», verra les faibles et les fourbes s'éliminer d'eux-mêmes et finira par décrocher le gros lot.

Il sera plus difficile et plus exigeant pour un gars de gérer une banque d'amitié.

Que c'est compliqué de passer du temps avec plusieurs filles sans le moindre rapport sexuel. Faire temporairement une croix sur la sexualité exigera du flegme.

Étant donné qu'un gars qui a des relations sexuelles avec une fille fonctionne auprès de celle-ci à crédit, c'est-à-dire qu'il devra lui rendre des comptes, le type qui cherche une fille par le biais d'une banque d'amitié devra en suivre les règles.

Messieurs, plus il y aura de filles dans votre banque, plus le choix sera bien dirigé. Vous devrez être francs. Les filles doivent savoir qu'elles font partie d'une banque d'amitié. Cela leur évitera de penser que vous pourriez être homosexuels, impuissants, ou pire, qu'elles ne vous plaisent pas parce que vous ne leur faites pas d'avances.

Croyez-moi, une fille qui sait qu'elle appartient à une banque d'amitié fait son maximum pour plaire. Elle en pédale un coup. Mais attention! Ne tombez pas dans son piège.

Elle tentera de vous séduire sexuellement car c'est son grand pouvoir. Portez votre sarrau blanc et continuez à prendre des notes. Laissez le temps agir. Je vous garantis qu'une fille fausse qui joue la comédie ne tient pas longtemps. Les filles au comportement falsifié s'élimineront d'elles-mêmes.

Si vous persistez à résister à vos pulsions sexuelles, vous aurez droit à tout un spectacle! Vous pourrez alors crier victoire d'avoir échappé à la femme mielleuse qui maintenant vous lance des ultimatums d'une voix criarde et stridente. D'avoir aussi échappé à celle qui, jadis toujours enjouée et de bonne humeur, s'est transformée de personne agréable en personne susceptible et irritable.

Et cette fille généreuse et douce? Ah oui! C'est vrai, elle a craqué la semaine dernière. Elle n'était pas douce du tout ni généreuse. Vous vous êtes rendu compte que ce n'était qu'une ruse: c'est un monstre, une «picosseuse» qui cherche des poux et nargue avec assiduité.

C'est à cette étape de la banque d'amitié qu'une personne est en mesure de choisir sa compagne ou son compagnon de vie. Avec le temps les comportements changent selon le déguisement choisi.

La durée d'une banque d'amitié peut varier. Cela dépendra du temps que vous pourrez y consacrer. Ne soyez jamais déçu ou déçue qu'une personne quitte votre banque. Pensez plutôt aux souffrances épargnées d'une relation qui n'aurait pas été évaluée au préalable.

27
Où faire des rencontres?

Ce vieux dicton est toujours vrai : « Il y a du monde pour tout le monde. »

Si vous aimez les intellectuels, ne restez pas devant votre ordinateur. Fréquentez les bibliothèques et les librairies. Promenez-vous dans la catégorie des classiques et faites là même chose chez les disquaires.

Observez le bouquin que lit la personne qui vous intéresse, souriez et engagez la conversation. Échangez ensuite vos impressions et connaissances sur différents sujets. Soyez attentif à la façon dont cette personne vous répondra. Il y a des gens qui n'aiment pas être abordés dans ces endroits. Si tel est le cas, retirez-vous en vous excusant et en esquissant votre plus beau sourire.

N'oubliez pas que c'est vous qui avez choisi cet endroit. Alors, que vous y fassiez une rencontre ou pas, vous êtes censé y être bien. Passez un bon moment à parfaire votre culture et fréquentez souvent les mêmes endroits. Quelqu'un partageant vos affinités vous y remarquera à son tour et engagera la conversation. Il se pourrait que ce soit la même personne qui autrefois ne désirait pas échanger avec vous. Souvent, chez les intellectuels, il faut du temps pour qu'une confiance s'établisse.

Des rencontres intéressantes peuvent aussi bien avoir lieu en visitant grand-maman au centre où elle habite. Grand-maman a une vie sociale bien remplie dans cette résidence. Elle peut être en mesure de vous présenter d'autres personnes aimables qui visitent leur grand-mère. Grand-maman pose beaucoup de questions à ses compagnes et peut vous décrire dans les moindres détails les qualités et défauts de la personne qu'elle voudrait vous faire rencontrer. Grand-maman peut être votre meilleure espionne et une agente de rencontre efficace. Elle vous connaît bien et ne souhaite que votre bonheur.

Pour faire des rencontres intéressantes, il faut connaître ses besoins et les communiquer à son entourage. Il faut aussi faire l'effort de sortir et ne pas juger trop rapidement ceux qui nous sont présentés.

Un jeune homme prénommé Sébastien m'avait raconté qu'il amenait sa nièce de trois ans tous les samedis au parc parce qu'il y avait remarqué une jeune et jolie maman. Sa sœur était bien heureuse d'avoir un répit et lui, très fier d'avoir trouvé un prétexte agréable pour pouvoir courtiser au parc. Ce garçon n'a pas joué un rôle, il était sérieux et aimait les enfants. Il a utilisé sa nièce pour faire une approche et pour ne pas avoir l'air d'un maniaque qui fréquente les parcs.

Les enfants sont devenus d'inséparables amis et cette maman, qui était monoparentale, vivait très heureuse avec Sébastien aux dernières nouvelles.

Un de mes oncles a trouvé la femme de sa vie en fréquentant les salons funéraires. C'était un célibataire endurci et convaincu. Son travail et sa vie sociale lui donnaient régulièrement l'obligation d'assister à des services funèbres. Un jour, il fut si touché par les différents témoignages de reconnaissance à l'endroit du défunt et du couple extraordinaire qu'il formait de son vivant avec sa femme, que mon oncle tomba immédiatement amoureux de la veuve. Ce célibataire endurci avait enfin trouvé une femme qui possédait des qualités rares.

Cherchez, inventez mais restez vous-même. Il est possible de rencontrer une personne extraordinaire à tout moment. Il faut garder l'œil et l'esprit ouverts. Mais je crois que le pire endroit pour faire la connaissance de quelqu'un, c'est dans une discothèque. Pour moi, une discothèque c'est une clinique d'urgence. Une discothèque, c'est un endroit menteur et parfait pour les carencés. Menteur parce qu'un gars ne peut pas dire directement à sa voisine en t-shirt ultracourt (gilet-bedaine) : « Viens près de moi, j'ai envie de me frotter à ton corps. » De la même façon, une fille ne peut pas confier à un inconnu : « J'ai besoin d'être touchée et caressée. Pourrais-tu me donner de l'affection ? » Tous deux passeraient soit pour des gens souffrant de problèmes de santé mentale, soit pour des maniaques.

C'est pourquoi il existe des cliniques d'urgence pour soigner ces carencés. En effet, il existe une multitude de gens carencés qui, le soir venu, s'en vont à ce que j'appelle « la clinique » : la discothèque ! C'est habituellement un lieu très sombre et sans décor, ou du moins ce n'est pas ce qu'on y recherche. La musique y est assourdissante et l'espace restreint. C'est un endroit conçu pour que les gens ne puissent pas vraiment se parler et pour qu'ils restent anonymes à s'effleurer, se frôler, se frotter aux autres et se toucher par le biais d'une « danse », comme ils disent. Ils sont illuminés par des éclairs rouges et bleus sur une minuscule piste de danse menteuse au son d'un vacarme cacophonique appelé musique.

Pensez à cette fille qui se dandine et se tortille au rythme de la musique pendant des heures et des heures, devant un inconnu qui en a mal aux pieds à force de suivre cette cadence infernale. Le gars, lui, même s'il n'aime pas danser, persiste toujours jusqu'à l'heure du *slow*. Pourquoi le *slow* ? Parce que c'est l'heure où la fille a habituellement consommé suffisamment d'alcool pour se laisser tripoter et embrasser. L'unique but du « mâle » (l'homme devient prédateur à ces endroits) est de pouvoir finir la soirée au lit avec elle. Le mensonge, c'est qu'ils ont l'air heureux.

C'est faux et c'est triste. C'est triste parce que l'on ne sait pas comment cette relation a commencé ni comment elle va se terminer. On pourrait dire que cette relation ne connaît ni début ni fin. Le néant.

La plupart des habitués qui fréquentent les bars et les discothèques croient y trouver un baume. Comme réconfort, c'est tout juste un pansement temporaire sur l'hémorragie de leur vide intérieur. Ces habitués des cliniques d'urgence pour carencés se comparent à des assoiffés qui s'abreuvent à la mer.

Pour l'instant, nous constatons que ces cliniques d'urgence fonctionnent à pleine capacité.

3. OBSTACLES À L'HARMONISATION

28

La tête droguée par les émotions

Il est prouvé que l'être humain est à 80 % programmable. Les autres 20 % sont les besoins primaires essentiels à combler pour vivre.

Je cite en exemple l'appétit, ce besoin naturel à combler, alors que le fait de cuisiner est culturel. C'est-à-dire qu'au-delà de notre besoin de manger, nous développons des désirs de gastronomie et notre goût pour les saveurs.

Donc, avoir faim est un besoin primaire, et décider ce que l'on va manger entre dans les 80 % programmables. Dans notre 20 % originel, tout est déjà programmé pour notre survie. Mais pour survivre, nous devons y mettre des efforts. Pour cela, plusieurs réflexes et émotions nous sont octroyés.

Ces réflexes et émotions se projettent dans les 80 % programmables. Mal programmées et dirigées, les émotions s'emballent et modifient le jugement. Rien n'est plus facile à troubler que la quiétude de l'être humain.

Un soir, un jeune vendeur sonna à ma porte. Très passionné et convaincu, il sortit quelques objets de son sac en vantant leurs mérites. Son discours était très émotif, et la rapidité avec laquelle il s'exprimait me faisait bien rire intérieurement. C'était tout un spectacle. J'étais ébloui par sa fougue et étourdi par l'incessant flot de paroles. Croyant que j'étais intéressé, il se mit alors à vider son immense sac et à envahir le hall d'entrée de ses babioles.

Cela faisait à peine deux minutes que j'avais ouvert la porte, que je me sentais pris au piège. Toutes sortes d'émotions m'habitaient. Le but du vendeur était atteint : je me suis senti devenir un otage encerclé par des objets qui m'étaient imposés dans mon hall d'entrée.

J'aurais pu me laisser guider par des émotions imposées et acheter des choses sans importance uniquement parce que je me sentais coupable. Mais coupable de quoi ? Pourtant je n'avais pas pris un rendez-vous avec ce vendeur. C'est lui qui avait sonné à ma porte.

Je devais absolument trouver le moyen de mettre ce colporteur en mode de retrait sans le blesser, tout en éteignant son envie de me visiter dans une semaine.

Eurêka ! Je lui dis que j'étais désolé, que je n'avais pas la tête à cela parce que je devais me rendre à un service funèbre. (Pour faire fuir un vendeur, il faut lui dire que vous êtes en deuil ou que vous croulez sous les dettes.)

Ses gadgets furent replacés dans son sac à la vitesse d'une tornade et je n'ai jamais revu ce vendeur.

Voyez comment un être humain peut rapidement passer d'une émotion à une autre. Je suis passé de serein à curieux, joyeux, inquiet, confus et soulagé en l'espace de trois courtes minutes, parce que j'avais devant moi et dans mon territoire une personne agitée. Je vous ai raconté cette anecdote parce que tous, nous pouvons devenir vulnérables sur le plan des émotions dans une situation donnée. Il faut y mettre de l'ordre rapidement afin d'éviter d'avoir la tête droguée par les émotions.

Les femmes sont particulièrement sensibles aux manigances de ce genre. C'est pourquoi elles se font manipuler par les chanteurs de charme, les beaux parleurs. Ils emploient les mêmes procédés que mon colporteur pour étourdir les femmes vulnérables à l'amour.

Les hommes sont des vendeurs-nés. Ils sont champions dans l'art de faire chavirer les cœurs. Ils savent que des pirouettes avenantes et quelques mots tendres peuvent influer instantanément sur les émotions féminines et les renverser. Les femmes sont plus fragiles à la programmation des émotions. Elles se laissent enivrer par elles. Le comportement d'une femme peut être directement lié aux émotions qui sont activées.

Après une nuit passée avec un inconnu, combien de femmes se sont dit : « *Je ne comprends pas ce qui m'est arrivé. Qu'est-ce que j'ai fait ? Je ne le connais même pas cet homme.* »

Cette femme a été droguée par ses émotions. La personne ainsi repentante n'a pas réfléchi parce qu'elle s'est laissée bercer dans une confortable illusion amoureuse.

Elle a répondu à un besoin naturel d'être aimée. Comme quelqu'un qui, pour combler sa faim, se gaverait de n'importe quoi à un buffet.

Une personne qui a faim peut très bien être comblée en mangeant toute une boîte de biscuits et en buvant deux litres de lait. Ce n'est pas un bon régime à long terme.

Une bière et des arachides peuvent aussi combler un creux à l'estomac ! Pourtant beaucoup de femmes se contentent d'arachides : un petit bec par-ci, une nuit d'amour par-là… Une mauvaise alimentation annonce une mauvaise condition physique. Un déséquilibre émotif chez la femme augure une carence affective et amoureuse.

Le désir d'amour chez une femme est inné, mais ses émotions se retrouvent trop souvent programmées. Une façon assurée d'avoir la tête droguée par les émotions est d'écouter continuellement de la musique et de suivre assidûment la majorité des téléromans.

Lire un roman d'amour ou visionner un film sentimental de temps à autre ne cause aucun tort, de même l'écoute d'une chanson. Comme l'être humain est facilement programmable et que les médias ont le pouvoir de décider des goûts du public, la tendance actuelle est de produire en abondance des émissions de plaisir dans la tristesse et l'agitation.

C'est le modèle présenté qui finit par devenir un besoin pour les plus faibles. Ils reproduisent des téléromans ce qu'ils y voient et rêvent de ce qu'ils y entendent en chansons. Quelle utopie!

Surtout pour les femmes, où tout passe principalement par les oreilles. Elles sont sensibles à ce qu'elles entendent. Une chanson d'amour pour une fille est l'équivalent du porno pour un gars.

Pensez-y, nous vivons dans un monde de chansons. Imaginez la souffrance d'une récente divorcée qui aurait fait son voyage de noces à Venise, si elle écoutait à répétition : «Que c'est triste Venise au temps des amours mortes…»

Ou encore, songez à une fille qui n'aurait pas eu d'amoureux depuis une bonne période, qui écouterait un chanteur populaire s'époumoner en disant : «Je souffre, car c'est toi que j'aime mais ne peux te l'avouer…»

Nous pourrions poursuivre pendant des pages, car il y a une multitude de chansons pouvant coller parfaitement à la peau de chacun.

Les chansons sont conçues pour faire vibrer. Il est cependant anormal de vibrer sans arrêt. Les chansons sont omniprésentes. On ne peut aller nulle part sans en entendre. Au bureau, au restaurant ou dans l'ascenseur, en attente au téléphone, au magasin ou à l'épicerie, chez le dentiste ou à l'hôpital, nous en sommes envahis.

Faites l'expérience de regarder à la télévision un chanteur ou une chanteuse en fermant le volume. Observez les gestes disloqués et la détresse de l'être. Vous aurez l'impression que cette personne est au bord de l'agonie et qu'elle crie à l'aide au milieu d'une crise d'hystérie, ou lors d'une danse à la barre verticale.

Passons aux téléromans. Regarder un feuilleton peut être acceptable. Saviez-vous que plusieurs soirs par semaine, il est impossible de rejoindre les femmes au téléphone parce qu'elles sont rivées devant leur téléviseur? Beaucoup d'entre elles s'identifient aux personnages. Elles prennent ce qu'elles voient pour de la réalité. Ce n'est que de la télé!

Vous avez déjà entendu ce vieil adage: « Ce n'est que du cinéma »; ce qui signifie: non réel. On peut dire en parlant d'une personne non crédible: « Ne l'écoute pas, il fait son cinéma. »

Les assidus des téléromans vous diront qu'ils sont bien conscients de tout cela et qu'ils suivent les téléromans pour se distraire. Pourtant les personnages sont bien imprégnés dans leur mémoire et intégrés dans leur vie.

Écoutez les conversations autour de vous. Il y en a toujours un ou une qui se reporte ou se compare à un personnage pour expliquer sa situation ou qui en cite un pour décrire le tempérament d'un autre.

Le danger dans tout cela, c'est que pour régler un problème ou un différend, cette personne accro de la télé agira comme son modèle. Mais si elle est moins prompte et demande conseil à une amie, elle risque d'être mal conseillée, car cette amie peut avoir un jugement limité par les mêmes téléromans. La télé est trop présente dans les foyers.

Les cabinets des psychologues et psychiatres ne dérougissent pas des conséquences qu'apportent les téléromans dans la vie des femmes, de même que les chansons sur les humeurs.

Bien entendu, une fille n'arrivera pas chez son psy en disant : « J'ai écouté des chansons et je ne me sens pas bien. » Entendu également que le médecin ne demandera pas à sa patiente si elle regarde des téléromans régulièrement.

Le mal se fait et s'installe subtilement chez ceux qui y sont exposés. Mais curieusement, cela se passe au grand jour et aux yeux de tous sans que personne ne le remarque.

En passant, je suis persuadé que l'on peut entendre aussi des chansons dans la salle d'attente du psy.

Une fille qui entend crier l'amour toute la journée en chansons doit trouver son amoureux bien monotone.

Je le répète, une tête droguée par les émotions, c'est une tête continuellement programmée dans un monde imaginaire, appuyée par l'exemple soutenu des téléromans qui affichent les misères de la vie quotidienne en suggérant des solutions bidon catastrophiques pour ceux qui les appliquent. Quant aux hommes, les films et surtout les clips vidéo et Internet leur apportent une permissivité sexuelle qui devrait être considérée hors norme.

Le comportement d'une société variera toujours selon ses modèles. Actuellement, les modèles passent par la télé et les chansons plébéiennes. Cela affecte surtout les femmes qui, naturellement, aspirent à l'harmonie et au bonheur.

On est arrivé au point où tout le monde veut devenir chanteur et comédien. Ce n'est pas normal.

29

Ces femmes infidèles

Je n'aime pas du tout employer le mot « infidélité » pour une femme. Nous devons tout de même l'utiliser, mais nous en chercherons un autre en cours de route. Je n'aime pas ce mot, car je ne crois pas à l'infidélité d'une femme.

On entend constamment dire qu'un homme infidèle l'est avec une femme ; donc, les femmes seraient infidèles.

Présenté de cette manière, cela semble tout à fait vrai, mais il faut savoir qu'une femme ne le fait pas pour les mêmes raisons que l'homme. Les apparences sont trompeuses. On utilise le même mot pour décrire des comportements différents. Oui, les deux sont infidèles, mais un homme infidèle fait du vagabondage tandis qu'une femme infidèle fait du magasinage. Un homme est infidèle sexuellement tandis qu'une femme l'est amoureusement.

L'homme peut passer du lit d'une femme à l'autre, même s'il considère sa vie de couple satisfaisante. Combien de femmes trompées se sont fait dire par leur mari : « C'est vrai

PROPOS SUR LA DIFFÉRENCE

que je t'ai trompée, mais tu sais que c'est uniquement toi que j'aime. »

Les hommes dissocient complètement l'amour du sexe. Les femmes, au contraire, intègrent les deux. Une femme qui a une relation extraconjugale dit plutôt : « J'ai couché avec Marc parce que je ne t'aime plus. » L'homme est un aventurier sexuel alors que la femme fait une recherche amoureuse. Voilà pourquoi je maintiens que les femmes ne trompent pas ; en tout cas, pas dans le sexe ou pour le sexe.

Chez une femme, c'est l'amour qui prédomine. Une femme infidèle n'aime déjà plus son mari, cherche à lui rendre la pareille ou est franchement insatisfaite de sa relation.

Une femme recherche toujours et seulement l'amour. Être infidèle lui permet de magasiner pour trouver mieux. Soyez assurés qu'une femme amoureuse est intouchable et inapprochable sexuellement par un homme autre que celui qu'elle aime. C'est comme cela depuis que le monde existe et vous pouvez le décoder par une simple phrase dite il y a 2 000 ans par saint Paul : « Hommes, soyez fidèles à vos femmes et femmes, soyez soumises à vos maris. »

30
Les traîtresses

Ici on ne parle pas de la fille qui s'habille *sexy* ou qui dirige souvent la conversation vers les parties de son corps pour attirer l'attention. Celle-là, on la surnomme l'«agace». Elle ne couche pas avec ceux qu'elle drague. Son plus grand plaisir est de se sentir désirée. Elle ne cause aucun tort à part celui d'énerver les autres femmes.

Ici on décrit la vraie traîtresse : celle qui veut que les gars perdent la tête pour elle. Une traîtresse est habituellement une femme insécurisée sur le plan émotionnel. C'est le genre de mal-aimée qui veut que son mari puisse croire qu'elle aurait l'audace de le tromper. Il y a aussi la célibataire vieillissante et qui se fait moins courtiser.

Une traîtresse est rarement pétard. J'ai souvent été témoin d'hommes qui ont trompé leur beauté d'épouse avec une traîtresse laide. Pardon, je devrais dire moins jolie que leur épouse. J'ai dit qu'une traîtresse était rarement pétard parce qu'il est rare qu'une belle fille ait besoin de jouer ce rôle. N'oubliez pas qu'une belle fille en a déjà plein les bras juste à repousser ses prétendants.

Les traîtresses sont celles qui causent le plus de torts à la dimension féminine. Ne se sentant pas aimées ou par crainte de l'être moins, elles savent que la meilleure façon de retenir l'attention d'un homme, c'est le sexe. Ces femmes y vont alors « à fond la caisse ». Elles veulent surtout se démarquer des autres femmes en projetant l'image non pas de la bombe sexuelle, mais de la « mégabombe » sexuelle.

Donc, la traîtresse est celle qui, dans un salon ou à une table, prendra la parole par un crescendo d'expressions spécifiquement choisies pour réveiller la libido masculine.

Les conversations s'amorcent toujours de la même façon. Un gars décrit une certaine fille en lui accordant des qualités. La plus complexée du groupe se déguise alors en traîtresse. Elle s'écrie d'une fausse voix joyeuse : « Toi, tu parles comme cela parce que cette fille est belle. Vous, les gars, lorsque vous voyez une belle fille, vous perdez la tête ! Vous pensez juste à ça (sous-entendu, le sexe) ! »

À ce stade, tous se mettent à rire et les blagues roturières défilent. C'est à ce moment-là que la traîtresse travaille le plus dur. Nous l'entendons dire : « Les femmes aiment le sexe autant que les hommes. » « Moi, ma libido est toujours à *ON*. » « C'est toujours moi qui fais les premiers pas. » « J'vous dis que j'épuise ça, un gars. »

J'en ai entendu de toutes les couleurs par de telles traîtresses. Un soir au restaurant, j'observais à une table voisine une femme qui parlait suffisamment fort pour attirer l'attention. J'ai cessé de l'observer après avoir reconnu le discours de la traîtresse, car je suis las d'entendre les mêmes sornettes.

L'ignorer nous fut impossible. Cette femme dit alors, ou plutôt hurla : « Moi j'ai pas peur de ça, une grosse graine : je sais quoi faire avec ! »

Une dame se leva, l'air dégoûté, pour quitter le restaurant, suivie par son mari arborant un sourire niais.

Une traîtresse parle toujours fort et utilise le discours du gars de ruelle. Tout ce qu'une traîtresse peut dire sur le sexe est de la frime. C'est un mensonge calculé et étudié pour étourdir les hommes.

Une honnête fille pourra apporter les meilleurs arguments du monde pour définir la dimension féminine et expliquer l'importance de l'amour par le biais de la sexualité et de la sensualité, elle perdra néanmoins tous ses moyens en compagnie d'une traîtresse. Pourquoi ? Parce que le gars écoutera qui ? Le gars portera son attention sur qui ? La cochonne !

Je vous garantis que le cerveau du gars naïf ne retiendra que le discours cochon. Qu'importe si celui-ci détient des lettres ou un baccalauréat, un homme qui ne connaît pas les pièges de la traîtresse est en danger. En danger parce qu'une traîtresse peut très bien livrer la marchandise. Elle en donnera, du sexe, mais à court terme. Ce genre de femme peut se passer de sexe pendant plusieurs années.

Ne me croyez pas, faites votre enquête.

Les traîtresses se trouvent partout, et pas seulement dans lès 5 à 7, au restaurant ou lors des fêtes en famille. Vous pouvez les voir à l'œuvre dans les talk-shows et les téléromans. Plusieurs films vulgaires ont des traîtresses en tête d'affiche.

Vulgarité et médias sont deux mots qui me rappellent une certaine soirée. Nous étions, mon épouse et moi, invités à une soirée médias. À un moment donné, la conversation tourna autour des deux dimensions. Nous étions pour la plupart en couples et les blagues que j'avais l'habitude d'entendre sur le sujet étaient toujours les mêmes, mais avec quelques variantes.

Comme d'habitude, lorsque je fais partie de la conversation, je m'enflamme pour faire entendre raison et ce sont les femmes qui, en premier, voyant que je prends leur défense, m'appuient. Suivent les hommes, qui avouent les diffé-rences.

Cette fois, ce fut tout autrement. Une traîtresse qui travaille dans le milieu du téléroman, surgit alors du groupe. Elle s'écria en s'adressant à moi : « Viens dans les toilettes que je te démontre comment je jouis ! »

Quelle audace et quelle vulgarité ! Dire cela devant son mari et mon épouse. Imaginez alors le malaise chez les couples du groupe. Pour dissiper rapidement l'embarras, nous avons rigolé et changé de sujet.

Cette femme s'est excusée auprès de mon épouse à la fin de la soirée. Était-ce de sa propre initiative ou de celle de son mari ? C'est sans importance. Peut-être n'était-elle qu'une traîtresse d'occasion ?

Arrivés dans notre voiture, nous discutions de cet événement. Mon épouse me fit éclater de rire lorsqu'elle me dit: «Je suis trop réservée! J'ai fait un excès de politesse! Quel grossier personnage! J'aurais dû dire à cette fille culottée qui voulait les baisser: pourquoi veux-tu aller dans les toilettes pour prouver que tu jouis fort? Pourquoi ne les baisserais-tu pas ici, tes culottes, devant tout le monde? Jouis-nous ça maintenant!»

Voyez-vous, c'est toujours comme cela. Les traîtresses vont parler de sexe haut et fort dans un salon, sur une piste de danse, à une table ou à la télé parce qu'elles y sont en sécurité. Elles n'auraient pas le même discours si elles se retrouvaient seules avec un gars ou dans une ruelle face à un inconnu. C'est de la frime!

Il est important de savoir démasquer les traîtresses, car un homme non averti peut tomber dans leur piège.

31
Les « fuck-friends »

Fuck-friend est un terme nouveau pour décrire une relation uniquement basée sur le sexe : une relation libre de sentiments amoureux. Certains proposent en rigolant cette définition : un ami « câlin » pour la femme, et une « câline » de bonne amie pour l'homme, soit les deux dimensions respectées.

Le « fuck-friend » a toujours existé. C'est le mot qui est nouveau. Autrefois ce type de relation était vécu en catimini. Le comportement était rare et réservé aux filles les plus carencées en amour. Les mœurs et la crainte de devenir enceintes ne le permettaient pas. Les filles ne voulaient surtout pas être classées au même rang que les prostituées.

Que voulez-vous, ce sera toujours comme cela ! Il sera toujours mal vu pour une fille de coucher avec un gars en dehors de l'amour, parce qu'au fond, nous savons qu'il n'est pas dans sa nature d'agir ainsi. Elle le fera uniquement pour sa survie amoureuse.

Voici la dynamique du «fuck-friend». Ce mot semble très sympathique et sécurisant, puisqu'il contient le mot ami. C'est génial d'avoir trouvé ce mot pour dissimuler l'infortune d'un tel comportement chez les filles.

Je dis bien chez les filles, car ce sont elles qui offrent aux gars d'être leur «fuck-friend». Un gars qui demande à une fille de la rencontrer seulement lorsqu'il aura envie de baiser, subira un rejet ou un refus automatique. C'est la fille qui demande cela et c'est pourquoi il est si difficile de comprendre que les filles sont différentes des gars sur le plan de la sexualité.

C'est donc la fille qui offre d'être une «fuck-friend» parce qu'elle sait d'instinct que le sexe est l'affaire du gars. Habituellement il s'agit d'une fille carencée affectivement, qui jette son dévolu sur un gars non sérieux, clamant tout haut qu'il ne veut pas d'engagement.

Cette fille est alors assurée que le type profitera de l'aubaine, si elle lui offre ses services de «fuck-friend», qu'il lui accordera alors un peu de temps et peut-être un peu d'affection.

Pauvre fille! Elle aura à peine un petit bec à l'arrivée et sera rapidement retournée chez elle, parce qu'un gars trouve toujours un prétexte ou une activité pour rester le moins de temps possible près d'une fille après un acte sexuel sans amour.

Une fille va s'offrir sexuellement non parce qu'elle est plus sexuelle ou sensuelle qu'une autre, mais seulement parce qu'elle tente de se faire apprécier plus qu'une autre par celui qu'elle désire amoureusement.

LES « FUCK-FRIENDS »

Ayez la certitude qu'une « fuck-friend ne l'est que tem-porairement. Elle fait un placement. Elle s'investit totalement en faisant croire que ce n'est que pour le sexe. Cette fille est prête à faire des prouesses sexuelles qu'elle n'aime pas. Elle se montrera plus cochonne que les autres partenaires sexuelles du gars sur qui elle a dirigé son dévolu. Elle espère ainsi que celui-ci la préfère et la choisisse comme compagne.

Son but, en étant « fuck-friend », est de lui faire changer d'idée. Elle aspire à une relation stable. Pour cela, elle mentira et se donnera sexuellement entièrement et jusqu'à l'écœure-ment. La durée de ce mensonge dépendra du degré de carence affective chez cette fille. Une fois qu'elle aura vraiment pris conscience du cul-de-sac auquel la mène cette relation, en dehors du sexe, celle qui se présentait uniquement comme une « fuck-friend » donnera subitement congé à son parte-naire de sexe. Des relations semblables sont habituellement rompues avec fracas et accompagnées d'une dépression et parfois de folie.

C'est la fille qui propose d'être une « fuck-friend » et c'est elle qui y met fin. Très près de la crise de nerfs et enfin consciente de la galère dans laquelle elle s'est embarquée, elle lui dit : « Tu n'es rien qu'un salaud, un maudit cochon ! Tu as profité de moi ! » Et lui de rétorquer : « Tiens, encore une maudite folle ! »

Comment peut-on en vouloir à ce garçon ?

Comment régler la carence de cette fille ?

La solution est de dénoncer le mensonge du phénomène du « fuck-friend ».

Nous témoignons de plus en plus de la détresse des filles «fuck-friends» qui attendent près du téléphone. Vous n'avez pas idée de leur déception chaque fois qu'elles entendent leur mec dire: «Viens tout de suite, j'ai envie de toi et ça presse» plutôt que d'entendre: «J'ai besoin de ta présence et je m'ennuie de toi».

32

Les jeux sexuels dangereux

Avoir du désir et du plaisir sexuel est tout à fait sain lorsque pratiqué dans un cadre décent et amoureux. Le danger est de se mettre à développer des fantasmes anarchiques, antiréglementaires, irrecevables ou irréguliers. Cela arrive en principe à ceux et celles qui ont le sexe comme seul plaisir dans leur vie. Comme il s'agit de leur unique réconfort, toute leur imagination gravite autour de la jouissance.

C'est là que tout devient sans limites et dangereux. Ils développent une sexualité débridée en solitaire ou cherchent à partager leur folie sexuelle avec d'autres. Les fantasmes sont alors vécus à fond ou échangés sans retenue. Qu'il soit étrange ou surprenant, le fantasme appliqué devra amplifier les sensations. Tant pis si cela peut mener jusqu'à la mort et tant mieux si c'est risqué, cela fera monter l'excitation d'un cran.

Les déviations peuvent mener une personne jusqu'à l'horreur.

Certains ont amorcé leurs déboires sexuels par du féti-chisme genre : bottes, latex et petit fouet. Prenons le petit fouet. Se faire caresser par un petit fouet a un cachet excitant. Ce serait correct, mais ensuite, pour faire monter une exci-tation déviée, on aimera s'en faire menacer. On finira par désirer se faire fouetter pour vrai en vue d'atteindre l'orgasme.

Il existe plusieurs endroits *underground* pour les sado-masochistes. Un homme aux prises avec une déviation maso-chiste a accepté de livrer un témoignage télévisé sur sa souffrance et le calvaire qu'était devenue sa vie depuis qu'il se livrait à ses fantasmes.

Il avait développé une excitation extrême dans la peur. Il en était rendu à se programmer des rendez-vous avec des sados sur Internet. Il y consacrait ses heures de lunch. Il choi-sissait toujours un lieu déserté où, la nuit venue, il se menot-tait à une clôture et jetait la clé au loin en attendant l'inconnu sado avec qui il était entré en contact.

Ce qui rendait son excitation extrême, c'était de n'avoir aucune idée de ce qu'il allait subir et il ne savait jamais s'il serait détaché ou encore vivant après son supplice. Cet homme disait arriver longtemps à l'avance pour prolonger l'excitation.

Il a terminé son témoignage en disant qu'après chacune de ces singulières rencontres, il se retrouvait devant un senti-ment de vide, de néant et en larmes.

Les jeux sexuels ainsi que les fantasmes n'amènent pas tous à vivre des choses aussi incohérentes, mais toutes les déviations ont leurs misères, voire connaissent des fins dramatiques.

Combien de policiers ou de familles se sont retrouvés devant une personne décédée par strangulation ou par accident en pratiquant une sexualité étrange en solitaire ?

Combien de personnes se sont retrouvées à l'urgence d'un hôpital complètement honteuses de leurs conditions pour se faire retirer des objets ou parce que leurs organes génitaux étaient mutilés ?

Combien de désaxés sexuels n'arrivent plus à partager leur vie et abandonnent tout espoir d'amour pour assouvir leurs appétences ?

Heureusement qu'il est possible pour ces gens de se faire traiter. Il existe actuellement des cliniques spécialisées pour les pervers sexuels ou maniaques du sexe, tout comme pour les toxicomanes, les alcooliques et les joueurs compulsifs. Les professionnels qui y œuvrent viennent en aide à ceux qui ont ces genres de problèmes. Les résultats y sont probants.

Les jeux sexuels dangereux se présentent aux personnes qui n'arrivent plus à se contenter et à jouir d'une sexualité normale. Le plaisir n'est obtenu que par des procédés et des fantasmes marginaux.

Un fantasme doit demeurer un fantasme. Il ne doit pas être transposé dans la réalité. Un fantasme qui n'est plus illusoire n'est plus un fantasme. C'est ce qui fait qu'une personne vivant ses fantasmes est constamment à la recherche de nouvelles images et de sensations fortes. Si cette fascination se poursuit, elle sera en quelque sorte hypnotisée par une sexualité étrange et douloureuse qui lui sera désormais nécessaire pour l'exciter et sortir de la simple fantaisie.

33
La bombe sexuelle

La bombe sexuelle, c'est la fille qui procure un grand plaisir sexuel aux gars. Elle est disponible sexuellement tant qu'ils le veulent, à toute heure. Elle provoquera même les avances. Jusqu'au jour où un des gars ne pensera qu'à elle. Se retrouvant régulièrement dans le même lit, elle ne lui laisse ni l'occasion ni le temps de fantasmer ailleurs. Ce gars, certain d'avoir décroché le gros lot, ne veut pas laisser s'échapper son butin. Il se décide enfin à cohabiter avec sa trouvaille pour l'avoir à lui seul.

Pauvre garçon ! Il s'imaginait que sa bombe sexuelle maintiendrait la cadence. Rien ne va plus ! Après un moment de vie commune, il obtient de peine et de misère une rapide relation sexuelle bimensuelle. Celle qui se présentait comme une bombe sexuelle toujours activée, s'est transformée en bombe à retardement. Pire, il apprend qu'elle a dorénavant un amant.

Que s'est-il passé ? C'est simple et pourtant il n'en saura jamais la raison : la bombe sexuelle était la seule à livrer la marchandise. De façon tout à fait inconsciente, elle occupait toute la place sexuellement et n'en laissait pas pour son besoin affectif. Pour elle, un manque d'amour est synonyme d'un manque de sexe. Le sexe avec son compagnon n'arrivant pas à combler son vide intérieur, elle s'en désintéresse et part à la recherche d'un amant pour calmer sa douleur.

Ce qui différencie une bombe sexuelle d'une «fuck-friend», c'est que la bombe sexuelle est en manque d'amour général. Elle a une souffrance intérieure quasi permanente non associée à une personne en particulier, tandis que la «fuck- friend» se donne sexuellement parce qu'elle a une fixation sur une personne en particulier.

Toutes deux à leur façon finissent par couper sec les dons sexuels et les gars se demandent : « *Mais qu'est-il arrivé à ma nymphomane ?* »

34
L'homosexualité

Ce livre décrit principalement les différences entre les hommes et les femmes. Aussi ne puis-je ranger l'homosexualité dans une catégorie. Je crois néanmoins qu'il est nécessaire de faire un survol de l'homosexualité, pour que vous saisissiez encore mieux le propos de la différence.

Je veux vous en expliquer la dynamique, pas pour en faire la promotion, mais sans la critiquer. De toute façon, on n'en a pas le droit, et je ne désire pas avoir un regroupement d'homosexuels à mes trousses.

Je constate que l'hétérosexuel a déjà de la difficulté à trouver son confort dans une vie de couple. Pourtant, il est conçu pour fonctionner dans la complémentarité. Alors, imaginez les difficultés que peuvent rencontrer les gais et lesbiennes, dans une relation à long terme.

Nous ne pouvons nier et nous devons accepter que des gens préfèrent s'orienter du côté des gens de leur sexe. Je dis toutefois que la vraie affaire, c'est un gars avec une fille.

Encore une fois, je ne parle pas contre l'homosexualité, je vous dis seulement que la mécanique est faite pour et comme cela.

Je vous présente un exemple : on peut très bien respirer grâce à une trachéotomie, mais la vraie affaire, c'est de respirer par le nez et par la bouche. On ne ferait pas exprès de se percer la gorge pour respirer, on a déjà ce qu'il faut.

Voilà pour la raillerie : je précise qu'un pénis est fait pour un vagin. Vous arguez que même chez les hétéros, certains gars placent leur pénis dans le derrière des filles ? Je vous réponds que je le sais : faites-le si vous le voulez, mais je répète que ce n'est pas là que ça doit aller.

Tout de même, nonobstant mes opinions, j'ai comme tout le monde des amis et connaissances dans ce milieu. Donc, ne me traitez pas d'homophobe.

Je n'expliquerai pas ce qu'est un transsexuel, un travesti, un transgenre ou autre phénomène qui sort de l'ordinaire ou des sentiers battus. Je veux simplement décrire l'homosexualité en général, selon mes connaissances et les témoignages et confidences que j'ai reçus du milieu homosexuel.

Il y a chez les hommes les homosexuels notoires et les homosexuels d'occasion.

Les homosexuels notoires, sans jamais que la question ne se pose, ont toujours été attirés par les garçons et ont dirigé leurs désirs dans cette direction. Ces hommes peuvent apprécier la compagnie des femmes, mais rien chez eux ne se dresse devant un corps de femme nue. Ils sont réputés pour leur goût certain en matière de mode, de coiffure et de design (je les remercie de rendre les femmes si belles). Ils vivent habituellement entourés d'un décor fantasmagorique. Rien ne peut les détourner de leur orientation.

Les homosexuels d'occasion sont des hommes aux femmes qui exercent l'échangisme ou participent à du sexe en groupe; ils ont, dans un élan d'excitation, touché le sexe d'un gars, ou un type de leur sexe a touché le leur. Après en avoir aimé l'expérience, ils la répètent à l'occasion. On les proclame bisexuels ou les considère comme des homosexuels qui s'ignorent. C'est une erreur. Quelques-uns seulement vont utiliser ce prétexte pour cacher une homosexualité latente. Pour la majorité d'entre eux, c'est uniquement une fantaisie sexuelle qui s'ajoute aux autres. Un bisexuel n'a pas à utiliser de tels prétextes, il ira tout droit coucher avec un homme ou une femme.

Chez les femmes, il y a les lesbiennes notoires, celles aux occasions temporaires et celles qui sont cycliques. Déjà, c'est plus complexe.

Les lesbiennes notoires et d'occasion ont les mêmes bases descriptives que leur pendant masculin, sauf qu'elles sont moins nombreuses. Plusieurs lesbiennes ne sont que temporaires ou cycliques. Ce sont des femmes qui peuvent être transportées dans le milieu par une amie, lorsque leurs amours avec les gars ne fonctionnent pas. Elles tentent alors de trouver mieux du côté des lesbiennes. Elles se disent qu'avec des femmes aux besoins communs, ce sera moins compliqué.

La lesbienne temporaire s'en désenchante rapidement. Pour la lesbienne cyclique, rien n'est défini. Elle arrive dans le milieu, le quitte, puis y retourne de temps à autre. Elle alterne de l'amour des gars à celui des filles. Elle est souvent malheureuse et ne trouve aucun bonheur dans les deux mondes.

La difficulté des gais et lesbiennes est la dynamique des sexes trop semblable. Leur dimension respective devient trop forte. Ce n'est pas moi qui dis cela, les homosexuels ne s'en cachent pas, ils l'admettent. Ils avouent qu'il leur est difficile de demeurer fidèles malgré leur amour pour un partenaire régulier. Le sexe chez eux est trop puissant et la disponibilité est toujours présente. C'est facile, il n'y a pas de préliminaires : « Montre-moi ta quéquette ou ta bitte, si tu veux, et je te montre la mienne. »

Pour les lesbiennes, c'est l'inverse. Même en vivant une sexualité satisfaisante entre elles, l'amour est trop puissant, il n'y a rien pour équilibrer cela. Pour elles, c'est l'amour à la chaîne, une courte chaîne car elles sont moins nombreuses. Une femme est amoureuse d'une autre femme, qui en aime une autre, qui celle-là rêve à une autre, et ainsi de suite. Elles ont vite fait le tour et se retrouvent rapidement à titre d'ex d'une autre ex.

Deux êtres aux mêmes besoins n'ont pas plus d'affinités en situation de couple que les hétéros. Leur difficulté est d'autant plus grande que leur nature propre est amplifiée par celle de l'autre. La sexualité des homosexuels et le sentiment amoureux des lesbiennes deviennent trop intenses. Les joies et les souffrances sont donc plus considérables.

L'équilibre est difficile à atteindre. Tout ce qui lie les homosexuels et les lesbiennes est le milieu et le mot « *gai* ».

Les gars et les filles vivront toujours et totalement à l'opposé. Ils n'ont pas les mêmes besoins ni les mêmes désirs. Il faut se le répéter et le retenir. Les hommes préfèrent le sexe, les femmes préfèrent l'amour.

Être gai, lesbienne ou hétéro ne change rien à la dynamique des sexes, car la différence n'est pas culturelle mais naturelle.

Conclusion

La souffrance féminine a souvent été soulignée dans ce
livre. Il est aussi important de comprendre la souffrance
masculine. L'homme a une sexualité débridée, parfois
déviante au-delà de ce qui est permis, et dissociée de l'amour.
Lorsqu'il fonctionne exclusivement dans sa dimension,
lorsqu'il a trop de sexe, il vit un néant. S'il se contient et qu'il
reste sobre sexuellement, c'est-à-dire s'il est continuellement
dans l'abstinence, il sera constamment frustré. L'homme
perd lui aussi l'équilibre s'il vit uniquement dans une
dimension et cela, même si c'est la sienne. Il sera sans cesse
agité et se balancera toujours entre le néant et la
frustration.

Prenons un gars qui passe ses soirées dans les bars de
danseuses nues. C'est le cas typique du gars qui véhicule son
néant à cause de son état de frustration. Dès qu'il finit d'érotiser ou de fantasmer sur une première danseuse, dès qu'il
s'en tanne après cinq minutes, il transpose sa frustration sur
une seconde danseuse. Il passe ensuite à une troisième et à
une quatrième, il préfère tantôt les fesses de l'une, tantôt les
seins d'une autre, change même d'endroit parce qu'il ressent

169

l'urgent besoin de voir du nouveau avec d'autres filles nues. Il n'en a jamais assez, son appétit est sans limites. Il finit par retourner chez lui pour retomber dans son porno ou dans l'abstinence. Un gars laissé libre avec sa dimension n'a que le choix entre la frustration et le néant.

De nos jours, heureusement, de plus en plus d'hommes ont appris à bien canaliser leur énergie sexuelle. Ils y ont intégré l'amour.

Ce sont habituellement des hommes qui ont beaucoup vécu ou qui en ont trop vu. Quelques-uns ont simplement choisi, sans nécessairement comprendre les différences, de suivre l'exemple des couples en santé, et sont bien heureux du sort que leur apporte leur décision. Il y a aussi les maladies et infections.

Il ne faut jamais comparer le désir sexuel entre les hommes et les femmes. Faire cela équivaut à mettre les pommes et les oranges en compétition. Nous pouvons comparer les valeurs d'une pomme seulement avec celles d'une autre pomme et les qualités d'une orange seulement avec celles d'une autre orange. Faisons donc de même avec la sexualité masculine et féminine. Un gars est un gars, une fille est une fille. L'incompréhension des hommes vis-à-vis des femmes réside essentiellement dans les motifs spéciaux qui les font agir.

Le fait que l'on ne tienne pas compte des différences qui caractérisent les besoins de chacun, coûte à la femme, à cause de ses nombreux sacrifices, la douleur d'être incomprise. La sincère générosité des femmes les porte à tout donner, y compris elles-mêmes, c'est-à-dire leur corps. Les femmes ne souffrent pas parce qu'elles sont différentes, mais parce que les hommes ne comprennent pas cette différence.

Les hommes n'en sont pas désintéressés, ils n'en ressentent tout simplement pas l'intérêt. L'homme, généralement moins émotif de nature, n'a pas la curiosité de comprendre la femme. Sa testostérone lui rend la tâche difficile. Il lui faut de l'aide. Il est impératif d'encourager les femmes à reprendre le contrôle de leur dimension, mais sans brusquerie. Changer radicalement un comportement surprendrait les hommes sans corriger leur pensée. Pour réussir avec brio, il faut procéder avec psychologie et par étapes. C'est le rôle de la femme, car seule une femme peut enseigner l'amour.

Il faut savoir que ni l'homme ni la femme ne pourront trouver le bonheur total ou une complète sérénité. L'équilibre est tout de même possible dans la complémentarité si les rôles sont combinés et compris au lieu d'être divisés et confondus.

Chose certaine, nous devons tenir compte des deux dimensions dans nos actes et prises de décision, si nous espérons maintenir l'harmonie et la durabilité des relations entre les hommes et les femmes.

À propos de l'auteur

Roger Drolet, homme de micro et de scène

Roger Drolet, après ses débuts radiophoniques à CHFA-AM Edmonton, passait à la télévision régionale privée, à l'antenne de CKRN 1400 Rouyn-Noranda et puis de CKBL Matane.

À la station de radio CJLR de Québec, au milieu des années 60, Roger est l'animateur du jour. Il a créé les « Insolences d'un téléphone », qui font rager les gens de l'époque sous le titre *Moi j'ai du caractère*. D'où trois disques de ses meilleures insolences enregistrés par RCA Victor. Et ils se sont vendus en grand nombre.

Il anime avec brio, à Télémédia en 1970, la tribune téléphonique *Ottawa Chacun son tour,* puis se trouve à l'emploi de CKVL de 1972 à 1998. Son talent et sa virtuosité le transportent à Montréal où il anime *Sommeil interdit* et *Le monde selon Roger Drolet.*

Au début des années 80, Roger surprend le public en décrivant les deux dimensions (relations hommes-femmes).

Très contesté à l'époque, il y ajoute sa perception de ce qu'il nomme le BAG. Il décrit la souffrance du monde moderne.

C'est parti, les lignes ne dérougissent plus. Pour les uns, Roger est un fou, tandis que de fervents admirateurs le réclament sur scène et saluent ses idées.

S'ensuivent deux livres à succès : *Les femmes me disent...*, Montréal, Les Éditions Albert Soussan, 1984, 143 pages et *Les femmes aiment faire l'amour mais à leur façon*, Montréal, Les Éditions de l'Époque, une division de Québecmag, 1987, 123 pages, des cassettes audio et vidéo.

Le philosophe des ondes

Roger Drolet s'appuie sur des démarches personnelles dans le laboratoire de la vie. Il n'hésite pas à se documenter et à consulter des professionnels qualifiés dans différents domaines. Tout ce qui touche la nature humaine l'intéresse.

De 2001 à 2003, on l'entendait à CKAC (radio) et, en 2004-2005, sur les ondes de CJMS.

De retour à CKAC la nuit, de 2006 à 2007, avec l'émission *À contre-courant*, il est écouté de tout le Québec sur les ondes du réseau Corus Québec (AM).

Le public lui est très attaché

Roger Drolet, controversé par moments, ne laisse personne indifférent. Ils sont nombreux à lui donner raison en ondes et dans le volumineux courrier qui lui est adressé. De même, un très grand nombre de personnes assiste à ses spectacles-conférences.

Marquis imprimeur inc.

Québec, Canada
2008

Imprimé sur du papier Silva Enviro 100% postconsommation
traité sans chlore, accrédité Éco-Logo et fait à partir de biogaz.

certifié   procédé   100 % post-   archives   énergie
         sans   consommation   permanentes   biogaz
         chlore

Bélier avec femelles ≠ en chaleur
va essayer d'en sauter une ou 2
Quand elles sont en chaleur
il veut toute les sauter.

Singe : femmes ≠ en chaleur
　　　　　 " camouflent leur odeur

Ça peut pas érotiser un gars

Armée et prostititution
(guerre)
MARS — Venus
↓
Compétitivité : entretien de la sexualité

L'homme en civilisation, société, a
perdu son pouvoir naturel d'érotisation
par les parfums et signaux de la
femme dans la nature. Il cherche
donc à s'érotiser ailleurs pour pouvoir
faire du sexe à sa femme. qui elle s'érotise
　　　　　　　　　　　　　　　　　　　 par roman amour

- <u>Féminisme</u> :   Leader vs Soumis

Les femmes ont gagné le droit ~~d'éta~~ d'aller
Travailler.
Maintenant elles sont obligées de
Travailler.
Les femmes ont gagné le droit de rester
à la maison.
Un jour elles seront obligées de
Rester à la maison.
Ne sous- estimons jamais notre
nature animale.